死刑執行人サンソン

安達正勝
Adachi Masakatsu

a pilot of wisdom

かつてパリには、ほかの多くのヨーロッパの都市と同じように、世襲の死刑執行人がいた。パリの死刑執行人は「ムッシュー・ド・パリ」と呼ばれた。この本は、六代にわたって「ムッシュー・ド・パリ」を務めたサンソン家の四代目当主、シャルル－アンリ・サンソンの半生を描いたものである。たとえばロンドンの死刑執行人の名前を、だれが覚えていようか。シャルル－アンリ・サンソンも、ほかの多くの死刑執行人と同様に、いつとはなしに忘れ去られるはずだった。しかし、彼が「ムッシュー・ド・パリ」であったのはフランス革命期のことであり、国王ルイ十六世を処刑したのも彼なのであった。

目次

序章　呪われた一族

初めに恋があった

典型的な処刑人の家として有名なのは、フランスの北端、パードーカレー県のベチュヌという町の死刑執行人の家である。

この町の処刑人は市街地に住むことが許されなかった。町はずれの一軒家に住み、そこが処刑人の家だということがだれにでもすぐわかるように、家全体が赤く塗られていた。娘がいる場合は、家の正面にその旨の掲示をしなければならなかった。普通の家の息子が間違えて処刑人の娘と結婚することのないように。

当時にあっては、処刑人一族は、不吉な影に包まれた呪われた一族であり、世間から隔離された状態で暮らしていた。パリア、不可触賤民の扱いだった。平気で人の首を刎《は》ね、手首を切断し、生皮をはぎ、鉄の棒で体中の骨を打ち砕き、ロープに吊して人を殺す。人が苦痛の叫び声をあげているのに、顔の表情一つ変えることがない。彼らには、人間の心というものがないのか？　いったい何を考えているのかわからない、不気味な連中だ。血にまみれた手でよくも妻を抱いたり、子供の頭を撫《な》でたりできるものだ。本当に信じられない連中だ、ああ気味が悪い、と人々は思う。

街で処刑人を見かけると、人々は嫌悪の念もあらわに目をそむけ、身体《からだ》が接触しないようによけて通る。たとえ間接的であろうとも物理的接触を避けようとして、商店が処刑人の家族にものを売るのを拒否することもあった。不浄の金は受け取れない、と。商店としては、処刑人の家族が来ると、ほかの客が寄りつかなくなるのではないか、という心配もあった。

ルーアン納税管区の代官が財務監チュルゴーに宛てた手紙に、死刑執行人の家族が社会的にどのような境遇に置かれていたかが簡潔に述べられている。

この種の者たちは社会から完全に隔離されており、公共の施設においてもいかなる援助も得られない。自分自身にとってはもちろんのこと、子供たちのためにも、両親のためといえども、である。広く行き渡った偏見のためだが、この偏見を打破するのは不可能であろう。彼らの親は、気の毒にも、病院にさえも入れてもらえない。生活に必要不可欠なものを手に入れるにも、彼らはほかの市民たち以上に高い値段を払うしかない。彼らは学校に子供をやることもできない。許容されないのである。彼らは高くつく手段を使ってのみ、なんとか自分の生活を支え、家族の生活を支えることができるのである。(1)（一七七五年七月三十一日付）

サンソン家は、六代にわたってパリの死刑執行人を務めた家系である。

まず、歴代当主の一覧表を掲げる。この本の主人公、シャルル－アンリ・サンソンは四代目にあたる。差別に耐え、社会の片隅でひっそりと生きることを強いられてきた歴代当主の中で、シャルル－アンリは歴史の表舞台に躍り出、一時期はスター並みの扱いを受けたこともあるという、非常に特殊な運命をたどった。時に「大サンソン」と呼ばれることもあるのは、この四代目シャルル－アンリである。

初　代　シャルル・サンソン・ド・ロンヴァル（一六三五―一七〇七）
二代目　シャルル・サンソン（一六八一―一七二六）
三代目　シャルル－ジャン－バチスト・サンソン（一七一九―一七七八）
四代目　シャルル－アンリ・サンソン（一七三九―一八〇六）
五代目　アンリ・サンソン（一七六七―一八四〇）
六代目　アンリ－クレマン・サンソン（一七九九―一八八九）

「ムッシュー・ド・パリ」であったサンソン家の場合は、ベチュヌの死刑執行人ほどは社会から隔離されていなかった。パリのど真ん中、中央市場のすぐ近くに、軽犯罪者用の晒《さら》し台があった。二階建ての八角形の塔で、一階部分が死刑執行人一家の住居、二階部分が晒し台として使用され、とんがった屋根がついていた。この家を人々は「処刑人の館」と呼んでいたが、この呼び名にふさわしく、いかにも不吉な感じの家だった。初代サンソンは、のちに都心の喧噪《けんそう》を嫌ってパリの郊外に別に家を構えた。仕事場と住居を分離したのである。しかし、初代サンソンは家を赤く塗ることを強制されることもなければ、娘についての掲示を扉に張り出せとも言われなかった。世間から除け者にされるという生活は同じだったけれども。

国王の子は国王になる。それと同じように、処刑人の子は処刑人になる。どちらの場合も厳格な世襲制が踏襲される。違いは、国王は社会の最頂点で光り輝くのに対し、処刑人は社会の最底辺の闇の中に追いやられる、という点だけである。

パリの「処刑人の館」。初代サンソンは最初この家に住んだ。

サンソン一族の中には、処刑人の頸《くび》木《き》から逃れ、ほかの職業につこうとした者もいる。この者は、だれも自分たちのことを知らない土地で錠前屋をはじめたのであったが、ふとしたことで身元がばれてしまうと客がまったく寄りつかなくなり、店をたたまざるを得なかった。こうした事情のため、処刑人の一族は事実上、ほかの職業につくことができないのだが、処刑人自身が息子たちがほかの職業につくことを嫌っていた。もし、万が一、息子がほかの職業につくようなことになれば、息子はかならず処刑人である父親を恥じることになる、と思うからである。

こうして、長男は父親の跡を継ぎ、次男三男は別の都市の死刑執行人になることを目指す。フランス各地にサンソン家のような世襲の処刑人一族がおり、仲間内のネットワークもできていた。結婚もほとんどの場合、このネットワーク内で行なわれた。

なぜ、処刑人に

自分の子孫を呪われた一族にしてしまうということがわかっていながら、なぜ初代サンソンは処刑人になったりしたのだろうか？

それは、処刑人の一人娘と恋に落ちたからだった。

初代サンソン、シャルル・サンソン・ド・ロンヴァルは、ノルマンディーの地方都市アブヴィルの出身で、処刑人の娘と知り合う頃は、ディエップに駐屯する連隊に中尉として勤務しつつ、アブヴィルに住む兄夫婦の家に仕送りしていた。[2] ディエップとアブヴィルは六十キロほど離れている。

兄はシャルルよりも十一歳年上で、以前はアブヴィル下級裁判所の判事をしていたのだが、てんかんの発作で暖炉に頭から倒れ込む事故を起こして目がまったく見えなくなり、辞職。家で半病人の暮らしをしていた。兄嫁のコロンブは、幼なじみの従妹だった。シャルルがまだほんの子供の頃、両親が伝染病で相次いで死亡したため、シャルルと兄は母方の伯父の家に引き取られた。この伯父の娘がコロンブだった。したがって、シャルル兄弟とコロンブは同じ家で育ったのである。

シャルルとコロンブはほぼ同い年ということもあって気が合い、将来大きくなったら結婚することを夢見る少年少女として思春期を送ったのだったが、コロンブが結婚適齢期になると、伯父は娘にシャルルの兄と結婚するように命じた。兄はすでにアブヴィル下級裁判所判事の職を手にしていた。コロンブは父親の決定をひどく悲しんだが、当時は、結婚に関して娘が親の意向に逆らうことは、まず不可能だった。一方、シャルルは、コロンブを忘れようとして遠く海を越えてカナダに渡り、フランス植民地軍の兵士として三年間、各地に転戦した。カナダでも、結局は、いつもコロンブのことばかり考えることになるのだが。

ところが、シャルルとコロンブの仲を引き裂いた伯父が死んで遺産相続の訴訟に敗れたのがケチのつきはじめで、兄の家は次々に不幸に襲われ、いったんは家を追われたシャルルが家の面倒をみることになったのであった。

この兄が死亡し、コロンブは押しかけてきた債権者たちによって家から追い出された。危急を告げる手紙を受け取ったシャルルは全速力で馬を飛ばしてコロンブを迎えにいき、徒歩でディエップに向かっていた彼女と途中で合流した。コロンブは修道院に入りたいと言っていたが、なおコロンブを愛していたシャルルは彼女と一緒になることを考えていた。シャルルは二十六歳になっていた。

もし二人がこのまま無事にディエップにたどり着いていたなら、もともとシャルルのことが好きだったコロンブだから、シャルルの思いを受け入れ、二人はディエップで新生活をスタートさせることになっていただろう。そうなれば、遅ればせながらの「めでたし、めでたし」となり、シャルルが死刑執行人になることもなかったから、二十一世紀に生きるわれわれが「サンソン」という名前に興味を惹《ひ》かれることもなかったろう。

ところが、ディエップに向かう途上、人里離れた街道筋で突然の大嵐に襲われ、二人とも行き倒れになってしまった。コロンブはこの事故で死亡し、シャルルは危うく一命をとりとめた。シャルルを助け、看病してくれたのが、この地域の処刑人だったのである。この処刑人は頑丈な体格をした大男で、町はずれの一軒家にマルグリットという娘と二人で暮らしていた。シャルルは死刑執行人の家のベッドの中で意識を取り戻したのだったが、自分がどんな家に助けられたのかわからなかった。家の主人はべつに医者を呼ぶこともせず、自分で怪我の手当をし、脈を取ったりしていたので、シャルルは最初は医者なのかと思ったが、医者にしては態度があまりにもぶっきらぼうで、愛想が悪すぎた。しかし、そんなことよりも、シャルルの注意は娘のほうに引きつけられていた。昏睡状態に陥っていた間中、自分を看病してくれたにちがいないマルグリットの美しさに、シャルルは打たれた。コロンブと入れ替わるように自分の前に現われてきたこの女性に、天の配慮、なにかしら運命的なものも感じた。

体力を回復すると、シャルルは追い出されるようにしてディエップに送り届けられた。シャルルは、ジュアンヌ親方（シャルルがこう呼んでいるので、これにならうことにしよう）の家に何度も出かけ、マルグリットが庭に一人でいるときを狙って声をかけ、看病してもらった礼を言いつつ、自分の気持ちも伝えたが、マルグリットは目に涙を浮かべ、「そんなことを考えていると、あなたが不幸になります」と言うばかりだった。

ジュアンヌ親方の娘の美貌に注目していたのはシャルルだけではなかった。シャルルの従弟（コロンブとは別系統）が商用で半年前からディエップに滞在しており、シャルルはこの従弟の面倒をなにくれとなくみてきた。従弟は「近々、ディエップでいちばんの美人を愛人にしてみせる」と豪語していたが、それがマルグリットのことだとはシャルルは思っていなかった。マルグリットが取りつく島もないことに業を煮やした従弟は、悪友にそそのかされて、よからぬ手段で思いを遂げようとしていた。ジュアンヌ親方の使用人を買収し、親方が留守の夜にマルグリットの食事に睡眠薬を入れ、彼女がぐっすり寝込んだところに忍び込み、ものにする、というのであった。その当夜になって企みを知ったシャルルは、帽子をかぶるのも忘れ、剣だけを持ってジュアンヌ親方の家に飛んで駆けつけた。行ってみると、従弟が家の近くをうろついていた。シャルルは従弟を激しく叱責した。しかし、シャルルが従弟に説教しているとき、例の悪友が助っ人にやってきたため、シャルルは二人を相手に剣で戦うことになってしまった。そして、肩にかすり傷を負いはしたが、シャルルは二人を撃退した。

最初は、ただただ愛する人を守りたい一心でやったことだった。しかし、二人がまた戻ってくるかもしれないと警戒し、しばらく辺りの様子をうかがっているうちに、自分自身がマルグリットの寝室に行ってみたいという誘惑に打ち勝つことができなかった。

サンソン家に伝わる『初代サンソンの手記』の中で、シャルルみずからが次のように述べている。

ここで私は、大いなる羞恥と痛恨の念をもって告白する。私は、自分がポール・ベルトト氏（従弟の名）に対して説いた賢明な意見、忠告、教訓をみずからすっかり忘れてしまったのである。私が夢中になっていた女性がかくも美しくベッドに横たわり、熟睡しているのを見たとき、私の美徳はほんの少しの風が吹き払う煙のように消え、私は従弟と同じくらい抑制心を失い、同じくらい愚かな存在になり下がったのであった。私は、ついさっき、あれほど激しく非難した罪を自分が犯すことを恐れなかったのである。

神よ、来世においては、わが罪を許し給え。現世において、わが罪を償うが故に。(3)

このときはまだ、シャルルはマルグリットが死刑執行人の娘だということを知らなかった。ディエップの広場に設けられた処刑台の上にジュアンヌ親方が立っているのをシャルルが見たのは、この次の日だった。

シャルルもほかの人々と同じように処刑人を忌み嫌い、軽蔑していたから、愛する女性の父親が処刑人だと知ったときは大変なショックだった。一晩は泣いて過ごした。しかし、シャルルの気持ちはもう後戻りできないところまできていた。責任を感じてもいたし、処刑人の娘であろうとも、マルグリットこそ王女にもふさわしい女性だ、とシャルルには思われるのだった。シャルルは、その後もジュアンヌ親方が留守のときを狙って何度もマルグリットに会いにいき、人柄のよさにますます惹かれた。

やがて、シャルルが処刑人の娘とつき合っていることは連隊中に知れ、連隊の名誉を汚したとして、連隊長から、つき合うのをやめるか、軍をやめるかの二者択一を迫られたシャルルは、腰に吊していた剣を抜き放ち、膝にかけて剣を真っ二つに折ってみせることによって、連隊長に自分の意思を告げた。

その夜、マルグリットの家にやってきたシャルルは、驚くべき光景を目にした。庭の小屋の中で、ジュアンヌ親方が自分の娘を拷問にかけていたのである。犯罪者に対して使われる「ブロドカン（編み上げ靴）」という足責めの本物の器具を使っての拷問だった。娘に男ができたことを察知して、男の名前を言わせようとしていたのであった。シャルルはたまらず、たまたまそこに落ちていた鉄の棒を拾って、小屋の中に飛び込んだ。

この後の様子をふたたび『初代サンソンの手記』から引用する。


私を認めると、ジュアンヌ親方は拷問用の槌を遠くに放り投げ、貴人の首を刎ねるのに使用される大きな剣をつかんだ。それで私を脅そうというのではなかった。自分の娘の頭の周りで剣を振り、娘を助けようとして私が少しでも動いたなら、頭を支えている肩からこの頭がただちに落ちることになろうという恐ろしい誓いをしたのであった。私は膝からくずおれ、先ほどかわいそうなマルグリットが泣き叫び、呻《うめ》いていたのと同じように、泣き叫び、呻いた。お前は何をしにわしのところに来たのか、拷問によっても娘から聞き出せなかった誘惑者の名前を告げにきたのか、とジュアンヌ親方が私にたずねたとき、私は彼にみずからの過ちを告白し、私だけに罪があるのであって、とても気高いあなたの娘さんにはまったく罪がない、ということを説明した。

これを聞いてジュアンヌ親方は、拷問器具をはずして涙ながらに娘に許しを請い、傷ついて血を流す足を撫で、口づけした。

シャルルは、マルグリットと結婚させてくれるようにジュアンヌ親方に頼み、だれも自分たちの素性を知らない外国に行って三人で一緒に暮らすことを提案した。ジュアンヌ親方は、それでは、いずれお前はわしを軽蔑するようになるし、生まれてくる子供にもその気持ちが伝染すると言ってこの提案に反対し、シャルルに決断を迫った――「問題は、われわれ二人について回る憎悪と恥辱を分かち持とうというほどに、お前の愛が強いかどうかだ」

もはやシャルルには、愛を貫くには自分自身も処刑人になるほかはなかった。

こうしてシャルル・サンソンは義父の跡を継いで処刑人になったのだが、知り合いの多い地元で処刑人の仕事をつづけるのは非常につらいことだった。かつての友人知人たちでさえ、恐怖の表情を浮かべてシャルルを避け、背をこごめて歩くその後ろ姿を見送りながら何やらひそひそとささやき合うのだった。運命の女性、マルグリットとの結婚も、六年しかつづかなかった。マルグリットが男の子を産んで死亡したのである。産後の肥立ちが悪かったためだが、精神的な面の影響のほうがむしろ大きかったようだ。処刑人になったことで思い悩む夫の姿を見て、自責の念にさいなまれつづけたのだろう。このマルグリットの死も、ノルマンディーの地を離れようという彼の決断を促したにちがいない。

しかし、いったん処刑人になったからには、もうほかの仕事にはつけない。シャルルは、この地域の死刑執行人を辞してパリに出、「ムッシュー・ド・パリ」になった。前任者が不祥事を起こして首になったところだった。一六八八年のことである。

シャルル・サンソンは、自分の恋のために子孫を呪われた一族にしてしまったことを自覚していた。先ほど二度引用した『初代サンソンの手記』は、もともとは子孫たちに対する弁明の書として書かれたものである。『手記』は次のような出だしではじまる。


神は、その無限の慈悲心でもって、われわれの肩を、背負う十字架に合わせ給《た》もうた。神の下し給もう不幸には、それに慣れることができないほどに苦しいものはけっしてなく、最初は、海の水をすべて飲み干すのが一人の人間にとって不可能であるのと同じくらいあり得ないように思われたことでも、習慣の力によって現実のものとなってしまうものなのである。私は、最初は自分の運命に反逆したが、自分が受ける謂《いわ》れのない悪に対しても、軽率であったためにみずから招いた悪に対しても、何事もなかった場合よりもより良い最期を用意してくださるように神に祈りつつ、いつしか耐える術《すべ》を身につけるに至った。

しかし、私は恐れるのである。子供は親の意志によってしか存在しないものだとはいえ、そして、子供は親に由来し、親にすべてを負うものだとはいえ、そしてまた、親にとって子供ほど自分に固有なものはないとはいえ、子供たちが現にある自分の境遇と本来私から期待していいはずの境遇との奇妙な違いに直面して、自分たちが生を受けた人間に対して内心の不満を感じるのではないかと、私は恐れるのである。そこで、神に慈悲を乞う前に、私はみずからの過ちを告白し、自分を処刑人という惨めな境遇にした理由を述べたいと思う。子供たちが、許すべき理由があると思うなら私を許し、非難するのが相当と思うなら私を非難できるように、一六九三年の十二月十一日木曜日に、この手記を書きはじめるものである。

サンソン一族の暮らしぶり

世間から蔑まれ、除け者にされていたとはいえ、三代目のジャン＝バチストの頃までは、サンソン家は経済的にはかなり裕福だった。

一七二一年までは死刑執行人には給料というものはなく、市場で食料や日用品を売る商人たちから一定量の品物を税金として現物徴収する権利が与えられていたが、これが年に三万から六万リーヴルの収入をサンソン家にもたらしていた。当時の男子工場労働者の年収が四百リーヴル程度だったから、これはかなりの高収入である。この「ムッシュー・ド・パリ」の特権に対する商人たちの反感は大きかった。処刑人の分際で自分たちから税金を徴収するというのがまず気に入らなかったし、処刑人の助手たちが税金を払い終わった人とそうでない人を見分けるために、商人たちの腕や肩にチョークで印をつけるというのも大きな反感を買った。フランス語には「処刑人の助手のように尊大 insolent comme un valet de bourreau」という言い回しがあるが、これはここから出たものである。助手たちが尊大な態度をとるのは、普段自分たちが差別されていることに対する裏返しの気持ちだった。租税徴収をめぐって商人たちとたびたびトラブルが生じたためにこの特権が廃止され、国から「ムッシュー・ド・パリ」に一万六千リーヴルの年俸が支給されることになった。サンソン家にとっては大きな減収になったが、このときまでにすでにかなりの財産が築かれていた。そして貴族と同じように、死刑執行人には免税特権も与えられていた。

また、サンソン家では代々医業を副職にしてきた。つまり、人を死に至らしめることを職業としている人間が、もう一方では、人の命を長らえさせることもしていたのであった。これは一見奇妙に見えるかもしれないが、いろいろな刑を執行していた死刑執行人は、どこをどう叩けばどうなるか、どこがいちばんの急所かといったことを体得し、人体の生理機能に詳しくなるのである。死体の引き取り手がない場合、埋葬までの間、死体の管理は死刑執行人にゆだねられたが、それらの死体を解剖することによって、人体の構造を知悉《ちしつ》するようにもなる。解剖室もちゃんとあった。歴代当主たちが解剖によって得た知識は、文書にしたためられて子孫に伝えられた。

サンソン家は家伝の軟膏、飲み薬といった薬品の販売も行なっていた。医学・解剖学のほかに、植物学の研究も代々行なわれてきたのであった。このサンソン家家伝の薬類には、呪術《じゅじゅつ》的効果も期待されていただろう。死刑執行人も死刑そのものも一般の人々にとって恐ろしいものだが、恐ろしいものが呪術的力を持つことがある。たとえば、絞首刑に使われたロープは、普通は気味が悪くてさわりたくもないものだが、ご利益があると信じ、これを手に入れようとする人もけっこう多かった。

あるいは医者としてのサンソン家当主にもこうした呪術的効果が期待されていた面もあったのかもしれないが、腕自体がよかったことは間違いない。普通の医者が匙《さじ》を投げた病人や怪我人を治癒させるなど、初代サンソン以来、評判は非常によかった。待合室、診療室、薬剤調合室、実験室が完備され、庶民ばかりでなく、貴族たち、さらには宮廷貴族たちも治療を受けにきた。三代目のジャン－バチストが治療法集成のようなものを作成し、四代目以降はこれを参照しつつ治療にあたった。金持ちからは高額の報酬を受け取ったが、貧しい人たちからは一銭も受け取らなかった。サンソン家の人々は、普段から界隈の貧しい人たちにパンを配ることも定期的にやっていた。世話になった人たちは道で「ムッシュー・ド・パリ」に会うと、普通の人たちが顔をそむけるのとは違って、帽子を取って丁寧に挨拶した。

三代目の頃は医業から年に六万リーヴルぐらいの収入があったから、実利の面でも大したものだが、サンソン家歴代の当主たちにとって精神的にも大きな救いになっていた。公務とはいえ、そして、世の中のためだと自分自身をなんとか納得させようと努めていたとはいえ、人を殺すことに内心の嫌悪感を禁じ得なかったサンソン家の人々にとって、医業で人の命を救うのは何にも代えがたい慰めになっていたのである。

医業からの収入と国から支給される俸給等を合わせると、三代目の頃は、年に七万リーヴル以上というかなりの高収入になるが、養うべき人間の数も多かった。まず、助手をはじめとする雇い人が三十人ぐらいはいただろうし、老母、妻子等の家族のほかに、退職した親戚筋の元死刑執行人などの食客がいた。また、フランス全土の死刑執行人の筆頭に位置する「ムッシュー・ド・パリ」として、住み込みで研修を受けにくる地方の死刑執行人の息子たちの面倒もみなければならなかった。

それでも、生活レベルはやはり貴族並みだった。広大な庭のある広いお屋敷に住んでいた。三代目ジャン－バチストの死後、シャルル－アンリは遺産分割のため先祖代々の土地を手放さざるを得なくなるのだが、買い取った不動産開発業者のほうでは、そのままでは広すぎて商売にならないので、百十メートルと六十メートルばかりの二本の道路を敷地内に新たに通さなければならなかったほどである。この二本の道路は、今も開発業者の名前がついたまま、パリの九区に現存する（パピヨン街とリブテ街）。余暇も、やはり貴族と同様、狩猟で過ごすのが普通だった。

ある宮廷貴族、シャロレー伯爵

死刑執行人が差別される最大の理由は、処刑台の上で冷静に人を殺し、目をそむけたくなるような残虐な刑を平然と実施する人非人と思われるからだが、差別されるもう一つの理由に、極悪人と直接的接触を持つということがある。死刑囚の犯罪のおぞましさを死刑執行人も分かち持つかのような印象を人々は受けてしまうのである。そこで、死刑執行人は、自分の普段の生活が人から絶対に後ろ指を指されることがないよう、道徳的に非難の余地がない生活を送るように身を律しなければならなかった。

三代目ジャン－バチストはその典型で、「サンソン家の名誉を守るため、罪を犯した息子を秘かに自分の手で処刑した」という噂が流れたほどである。この噂はヴェルサイユの宮廷でも話題になり、当時の国王ルイ十五世は、サンソンが恩赦を願い出てこなかったことに不満をもらしたものだった。そして、さらには、シャロレー伯爵という宮廷貴族が、噂の真偽を確かめるために、サンソンの家に立派な紋章付きの馬車で乗りつけてきた。

ジャン゠バチストには、夕方、一日の仕事を終えたあと、家の門のところに座って時間を過ごす習慣があり、このときもちょうど門のところにいた(4)。

「お前が窃盗の罪を犯した息子を自分で処刑したというのは本当か？」

と、馬車を降りるなり不躾《ぶしつけ》に問い質すシャロレー伯爵に、ジャン゠バチストは肩をすくめて答えた。

「閣下、ご質問は、実のところ、いささか突飛なものであると申し上げることをお許しください。恥辱と汚辱を避けるために、自分の息子の血をみずからの手で流すほどに名誉を重んじるような父親が、よくも知らない宮廷のお暇な方の好奇心にこたえて、そのような秘密をもらすほどに無分別になれると、あなた様はお考えですか？」

このジャン゠バチストの答え方に、シャロレー伯爵は顔色を変えて怒った。「よくも知らない宮廷のお暇な方」とはなんだ、いったい、お前はわしをだれだと思っている、人殺しの分際で、シャロレー伯爵たるわしになんという口のききようだ、普通なら腹に剣を突き刺して成敗してくれるところだ、といった具合だった。

実は、このシャロレー伯爵には、屋根の上で仕事をしている職人を狩猟の帰りに面白半分に銃で撃ち落とした、という噂があった。しかも、こんなひどいことをしたというのに、何の罪にも問われなかったのである。これは当時非常に広く知られていた話だったので、ジャン－バチストも噂をそのまま信じていた。ジャン－バチストが聞いた話では、ルイ十五世はシャロレー伯爵の罪を許す代わりに、だれか職人の知人か近親者が復讐のためにシャロレー伯爵を殺害した場合は、その者にも恩赦を与える決定をしたということだった。

そこで、ジャン－バチストは次のように言って、伯爵に一矢報いた。

「私は閣下のことはよく存じ上げております。ただ、閣下に関しましては、貴人に対して加えられた危害を厳しく罰する法律がございますが、私は職務を遂行しなくてもすむものと心得ております」

シャロレー伯爵はジャン－バチストの言わんとしていることを理解し、事件の真相について説明した。あの事件を起こしたのは自分ではなく、自分の弟だ。弟には精神障害があり、あのような事件を起こしてしまった。弟がしでかしたことなので、自分は積極的に弁解はしなかった。それで、普段から乱暴者で通っている自分が犯人ということになってしまったのだ、と。

伯爵は、従者として一緒に来ていたシェノーという若者を呼び、若者にも証言させた。

ジャン－バチストとしては初めて耳にする話だったが、伯爵の説明の仕方は非常に熱心なものだったし、シェノーという従者も信頼できそうな、感じのいい若者だったので、ジャン－バチストはシャロレー伯爵の話を信じる気になった（この事件の話は、最近フランスで出た本にも、革命前の身分格差がいかにひどいものだったかを示す例として載っている[5]）。

こうして、初めは非常に険悪な雰囲気で二人の会話ははじまったのだったが、最後には二人はすっかり打ち解け、ジャン－バチストは庭で遊んでいた息子のシャルル－アンリを呼び寄せて伯爵に紹介し、噂を打ち消した。二人はこれ以来、親しい知人同士となり、シャロレー伯爵はパリにやってくるたびごとにサンソン家を訪れるようになった。普段はヴェルサイユの宮廷に出仕しているシャロレー伯爵だが、パリの自宅はサンソン家に近かった。ジャン－バチストの俸給が遅れたとき、シャロレー伯爵がルイ十五世に催促してくれたこともあった。

事件について証言したシェノーという若者もサンソン家の人々と親しくなり、銃の暴発事故で重傷を負ったときにジャン－バチストのおかげで一命をとりとめたりしたこともあるが、これから四十数年後、ルイ十六世の処刑に関連してシャルル－アンリに大きな助けを与えることになる。

処刑人の一族とこのように親しくつき合おうとする人は、しかし、あくまでも例外であって、サンソン家が経済的に裕福であろうが、当主が道徳的に非難の余地なき立派な人物であろうが、人々は道で処刑人と行き会えば嫌悪の情もあらわに目をそむけ、絶対に体が接触しないように身をかわすのであった。

だから、前に引用したルーアン納税管区代官の手紙にもあったように、子供を学校に入れるのも一苦労だった。処刑人に対する差別は子供にもおよび、学校が、父兄たちが、処刑人の子を排除するのであった。

この頃はまだ義務教育の時代ではない。それどころか、大多数の者は学校など一度も行ったことがなく、人口の三分の二は自分の名前さえ書けないという時代である（だれもが学校に行けるようになるのはフランス革命後のこと）。しかし、サンソン家は教育に関しても貴族並みで、子供にはできるだけいい教育を受けさせるのが伝統だった。これは、社会的体面のためだけではない。裁判所と表裏一体の関係にあり、医業を副業とするサンソン家としては、跡を継ぐ息子が法律の専門書や解剖学の本もちゃんと読めるような知的レベルに達していないと、後後、仕事に差し支えるのである。

この本の主人公、四代目シャルル－アンリの教育はどのように行なわれたのだろうか？

シャルル－アンリ・サンソンの教育

シャルル－アンリが就学年齢に達したとき、両親は子供をどこの学校にやるべきか、頭を悩ませなければならなかった。身元が知られているパリで学校に通わせることはできなかったので、シャルル－アンリはノルマンディー地方の大都市、ルーアンの学校へやられることになった。ルーアンはパリから百数十キロ離れており、ここなら身元が知られることはあるまいと両親は考えた。そのルーアンの学校は、アルディーという温厚でとても教育熱心な人物が経営する寄宿学校で、アルディー氏はどういう家の子かを知った上で、シャルル－アンリの教育を引き受けてくれたのであった。

一年目は何事もなく過ぎた。シャルル－アンリは教師たちが太鼓判を押す、とてもいい生徒だったし、級友たちとの関係も良好だった。しかし、二年目に、処刑人一族の子だということが知られてしまった。それまでは仲良く一緒に遊んでくれていた級友たちの嫌がらせといじめがはじまり、生徒の親たちがシャルル－アンリを退校させるようにアルディー氏に申し入れてきた。アルディー氏はそうした要求を頑としてはねつけ、シャルル－アンリのことを守ってくれた。けれども、生徒が一人減り、二人減りとだんだんいなくなって、学校の経営が成り立たなくなってしまった。

アルディー氏はシャルル－アンリを校長室に呼び、「これ以上、学校に置いておくことができなくなった」と告げた。アルディー氏の表情はいかにも苦渋に満ちていた。

シャルル－アンリはやむなくパリに帰った。帰ってきたからといって、パリの学校に通うことなど、できるわけがない。百キロ以上離れたルーアンでさえ、身元がばれてしまうのだから。

そこで、シャルル－アンリのために家庭教師をさがすことになった。

しかし、だれが好きこのんで処刑人の子の家庭教師になろうとするだろう。たとえ自分が処刑人に対する嫌悪感を克服したとしても、処刑人の家で家庭教師をしているのが知られると、今度は自分が世間から爪弾きになるのである。そして、サンソン家の側からすると、大事な息子の教育をゆだねるのだから、家庭教師はだれでもいいというわけにはいかない。それなりの人物でなければならない。だから、よけい見つけるのが難しくなる。父親のジャン－バチストはずいぶんといろいろな人に頼んでみたが、ことごとく断わられた。

なかなか家庭教師が見つからないのがシャルル－アンリには悲しかった――「嫌々ながら、仕方なしに勉強する子も多い。自分は勉強したくてたまらない。なのに、教えてくれる人がだれも見つからない」

家族全員があきらめかけていたとき、意外なところで家庭教師が見つかった。

近所の人が「病気で死にかけているお年寄りの神父さんがいる」と助けを求めてきたのである。この神父は宗教上の論争に巻き込まれて教会を追放され、極貧の生活を送りつつ「これを出版できずに死ぬのが最大の心残り」とヘブライ語からの聖書の新訳に取り組んできたのだったが、ついに無理がたたって倒れてしまった、とのことだった。これまでは自分たちが交代で面倒をみてきたのだけれども、もう自分たちの手には負えなくなったのでなんとかしてもらえないかと訴える声も、ジャン－バチストにはもう上の空だった。「神父」「ヘブライ語」という言葉を耳にして、「これぞ、天の恵み」と思われたのであった。

ジャン－バチストはすぐに様子を見にいった。屋根裏部屋に横たわっていた神父の状態は、見るも無惨なものだった。全身が膿《うみ》におおわれ、顔の見分けもつかないほどだった。ここでの治療は無理と判断し、ジャン－バチストはただちに神父を家に運び入れた。ジャン－バチストはそんじょそこらの医者よりも腕がよほど確かだったが、これを逃したらもう家庭教師は見つからないという思いがあったので、当然、治療にも熱が入った。妻のジャンヌ－ガブリエルも、嫌悪感に耐えてよく神父を看病した。

ジャン－バチストの必死の治療の甲斐あって、神父は瀕死の病《やまい》から快復した。しかし、顔には醜い病気の跡が残り、街を歩けば「怪物！」とささやかれた。シャルル－アンリでさえ、慣れるのに大分時間がかかった。

この神父、グリゼル師は非常に奇妙な人物だった。生涯をひたすら神学の研究に費やし、聖書を全部空で覚えていた。いったん聖書の話をしだすと、なかなか止まらなかった。そして、あまりにも世間離れした生活をしてきたので、死刑執行人に対する世間一般の偏見にもまったく染まっていなかった。それどころか、ジャン－バチストから処刑執行前夜に心の動揺を打ち明けられたときには、彼のために徹夜で神に祈りをささげるやさしさがあった。

グリゼル師はシャルル－アンリの家庭教師を引き受け、まずラテン語を教えた。シャルル－アンリは病気の跡が残る恐ろしい顔をなるべく見ないように、本とノートに視線を固定するようにしていたが、グリゼル師はそれを集中力があると解していた。シャルル－アンリは進歩著しい生徒であり、グリゼル師は非常に我慢強い教師だった。

シャルル－アンリは、昼はグリゼル師の教えを受け、夜、食事の後はグリゼル師からよく古代イスラエルの話を聞かせてもらった。シャルル－アンリは街で「処刑人の子！　処刑人の子！」と囃《はや》し立てられ、大勢の人間にあとを追いかけられたりしたこともあるが、そんなときには、グリゼル師は聖書の言葉を教えてくれた――「私は隣人たちにとって汚辱にまみれた存在であり、顔見知りの人々に忌み嫌われた。外で私を見かけた人々は私から逃げ去っていった」。偉大なダヴィデ王の言葉だということだった。

十四歳のとき、シャルル－アンリはせっかく得られた良き家庭教師を失うことになった。グリゼル師が死亡したのであった。自分の死期が近いことを悟ってからは、グリゼル師はよりいっそう熱心にシャルル－アンリの教育に取り組んでくれた。教会から聖務停止処分を受けていたため、グリゼル師は普通の墓地ではなく、処刑された者や自殺者や異教徒用の墓地に埋葬された。シャルル－アンリは、グリゼル師を失った悲しみから半年は立ち直れなかった(6)。

十五歳で跡を継ぐ

そして翌年、今度は父親のジャン－バチストが脳卒中で倒れ、半身不随になった。まだ十五歳のシャルル－アンリが、父親に代わって死刑執行人の職務を果たさなければならなくなったのである。

ここで活躍するのが、二代目の妻、つまり、シャルル－アンリの祖母、マルトである。この女性はサンソン家中興の祖と言っていい。

跡継ぎが成人に達している場合は跡目相続はすんなりと運ぶのだが、未成年の場合は、いろいろと邪魔が入ることが多かった。

マルトの夫が死亡したとき、息子のジャン－バチストはまだ七歳だった。「ムッシュー・ド・パリ」はフランスの死刑執行人の筆頭に格づけられていたし、年俸もいちばん高かったから、地方の処刑人たちにとっては羨望《せんぼう》の的だった。跡継ぎが幼少であることにつけこんで、彼らの中には、役人に賄賂《わいろ》を渡したりしてサンソン家に取って代わろうと画策する者たちもいた。マルトは、こうした動きに憤慨した。処刑人同士はお互いに助け合うべきではないか、それなのに、邪魔をするとは！　マルトは逆に闘志をかき立てられ、関係各方面へ足を運んで熱弁をふるった。そして、競争者たちを退け、見事、息子を跡継ぎに据えることに成功したのであった。

もちろん七歳の子供に死刑執行は無理なので、息子はただ処刑台の上に立っているだけで、ほかの大人が代理で刑を執行するという形を取った。そして、七歳の子供の感受性を考慮して、最初は晒し刑、笞《むち》打ち、焼き鏝《ごて》の刑からはじめ、それから徐々に絞首刑、斬首刑に立ち会わせるという配慮がなされた。マルトがいつも現場で幼い息子を見守り、励ましつづけたのは言うまでもない。

まるでコルネイユの劇にでも登場するような、意志強固、毅然とした母親の教育よろしきを得て、三代目のジャン－バチストは初代サンソンほどは自分の職業に悩まずにすんだ。とはいっても、死刑を執行した後はいたたまれずに馬に飛び乗り、郊外を疾走することで気を静めるのが常ではあったが。死刑執行人の妻もいろいろであって、この二代目の妻マルトは、初代の妻マルグリットとは対照的な女性だった。

今回も跡継ぎが未成年だということで、やはり地方の死刑執行人から横槍が入ったが、七歳の子供をさえ跡継ぎにした実績を持つマルトにとっては、十五歳の孫の跡目相続など、ほとんど朝飯前のことだった。しかも、シャルル－アンリは年に似合わない重々しい雰囲気を身につけ、がっしりとした体格の青年、といった感じだった。死刑執行人任命の決定権を持つ高級官僚に孫を引き合わせるマルトの態度には、「どうです、この自慢の孫は！」という誇りが滲《にじ》み出ていた。父親が存命であり、シャルル－アンリはまだ未成年ということもあって、当面は父親の代理という形で職務を引き継ぐことになった。

こうして、心の準備も十分でないままに、シャルル－アンリは病気の父親に代わって、翌年、十六歳にして死刑台に立つことになった。愛人と共謀して夫を殺害したカトリーヌ・レコンバという女性の絞首刑の執行が初仕事だった。ただでさえ冷静な気持ちで執行にあたることなどできるはずもなかったろうに、この女性は若くて、評判の美人だった。そして、絞首刑の執行も、斬首刑ほどではないにしても、初めての人間にとってはけっこう難しいものだった。何度も何度も失敗し、やっと五、六回目で刑の執行に成功した。

無様なデビューということになるが、処刑人の初舞台というのは、だいたい、こうしたものだった。初代サンソンなどは、いざ刑を執行する段になって処刑台の上で気絶してしまい、群衆から罵声を浴びせかけられた。幸いにして、そばに義父がひかえていたので、混乱は最小限で食い止められた。

シャルル－アンリが処刑の恐ろしさを本当に身にしみて体験するのは、この二年後、ルイ十五世暗殺未遂事件で八つ裂きの刑にかけられるダミアンの処刑においてであった。八つ裂きの刑というのは四頭の馬をつかって死刑囚の四肢を引きちぎるもので、死刑の中でももっとも残虐なものである。このダミアンの八つ裂きの刑については「第二章」で詳しく述べる。

侯爵夫人に訴えられる

これは、シャルル－アンリ・サンソンが二十七歳のときの話である。

シャルル－アンリはハンサムでおしゃれ、とてもダンディーな青年になっていた。長身で、体格もよかった。女好きとの評判だったが、実際、アヴァンチュールを重ねていた時期もあった。身分を隠し、偽名を使ってのことだが。相手の女性の中に、ルイ十五世の晩年に公式寵姫《ちょうき》（国王の正式な愛人）になるデュ・バリー夫人がいる。彼がつき合っていた頃は、まだ街のお針子にすぎなかった。また、普通は処刑人と結婚したがる女性はおらず、処刑人の家系同士の間で縁組みがなされるものだったが、シャルル－アンリが前の年に結婚したマリー－アンヌ・ジュジエは処刑人の一族ではなく、モンマルトルのごく普通の農家の娘だった。普通の家の女性でも結婚したくなるような男だった、ということである。

ある日、シャルル－アンリは狩猟の帰り、夕食をとるためにパリ郊外のレストランに入った。そこに、X侯爵夫人がいた。[7]この頃は、貴族階級の女性は結婚前には修道院などで非常に厳格な監視のもとで教育されるのだが、いったん結婚してしまえば、あとはスキャンダルを起こさない限りは外でかなり自由に恋愛することが許容されていた。「夫は夫、妻は妻」というのが貴族の夫婦の暮らし方で、夫が妻に嫉妬したりすると、パリの貴族社会では「育ちが悪い」と物笑いの種にされた。

X侯爵夫人はシャルル－アンリの男ぶりに惹かれ、自分のテーブルに招いた。死刑執行人には貴族と同じように帯剣が認められていたし、そのほか、服装、物腰など、シャルル－アンリには貴族と間違われてもおかしくない雰囲気があったから、侯爵夫人もシャルル－アンリを自分たちの仲間だと思ってしまったのだった。しばらく話したあと、侯爵夫人にどんな仕事をしているのかと聞かれ、シャルル－アンリは「高等法院の役人をしています」と答えた。たしかに、シャルル－アンリはパリ高等法院付きの死刑執行役人だった。

シャルル－アンリは侯爵夫人がすすめるままに、同じテーブルで食事をすることになった。侯爵夫人が彼に気があるのは明らかで、会話も大いに盛り上がった。一人の貴族とおぼしき男が、時々、自分たちのほうに不安げな視線を投げているのにシャルル－アンリは気づいていた。これがなければ、レストランは宿屋も兼ねていたので、食事のあと、侯爵夫人の部屋にあがることになっていたかもしれない。

デザートをすませたあと、シャルル－アンリは馬車に馬をつながせ、侯爵夫人に丁寧にお礼を述べ、レストランを出た。

シャルル－アンリがいなくなるとすぐに、先ほどの男が侯爵夫人のところにやってきた。この貴族は侯爵夫人の知り合いだった。この知人から、食事相手が処刑人だったと知らされて、侯爵夫人は気を失って倒れんばかりだった。しばらくは何も言えずにいたが、やがて忌まわしさが込み上げてきて、悔し涙を流した。処刑人に手をゆだねることまでもしてしまったとは！　血にまみれた手に触れたのかと思うと、侯爵夫人は居ても立ってもいられない気持ちになった。すぐに水を持ってこさせ、手を洗った。

最初の動揺がすぎると、侯爵夫人の胸にはむらむらと怒りが込み上げてきた。処刑人が身分を隠して、こともあろうに、自分のような貴婦人と厚かましくも食事をともにするとは！　許せない！　相手に好意を感じ、気のある素振りを見せてしまったことが、とくに彼女の自尊心を傷つけた。処刑人なら処刑人と、最初からはっきり言うべきではないか。そもそも、処刑人なら自分のような貴婦人に近づくことすら遠慮すべきではないか。なんというずうずうしい、恥知らずな男だ。自分が受けた侮辱を晴らさずにおくものか。どうして復讐したらいいものか……。

パリに帰ると、X侯爵夫人はサンソンを高等法院に訴え出た。サンソンが首に綱を巻いた状態で（首に綱を巻くのは悔恨の印）、自分に与えた侮辱について謝罪すること、また、公共の安全のため、死刑執行人はだれにでもすぐにそれとわかる印を衣服および馬車につけること、を求めた。

パリ高等法院はX侯爵夫人の訴えを受理し、シャルル－アンリ・サンソンに出頭命令を出した。サンソンは裁判にそなえて弁護士をさがしたが、だれも引き受けてくれなかった。そこで、自分で自分を弁護することにした。

パリ高等法院はシャルル－アンリがいつも判決執行の命令書を受け取りに通っている馴染みの場所だが、今回は被告人として法廷でX侯爵夫人側の弁護士と対決するのだから、勝手が違った。

相手側弁護士は、一緒に夕食をした人間の身元を知ったあと、X侯爵夫人がいかに悲しむべき状態に陥ったかを雄弁に語った。そして、処刑人という忌むべき職業についている人間には単なる市井《しせい》の人とさえ食事をともにするのは許されないことであり、ましてやX侯爵夫人のような高貴の人とはもってのほかであるとつづけ、侯爵夫人が先に高等法院に提出した要求事項を結論として述べた。

シャルル－アンリは、訴えられたのを逆手にとって、この際思いきって言ってやろうと何日も前から反論を準備してきた。シャルル－アンリの陳述は非常に長いもので、『サンソン家回想録』（全六巻）の第二巻に十二頁以上にわたって展開されているが、その言わんとする全体的趣旨を汲み取り、内容を要約する形で再現する。

シャルル－アンリの自己弁論

「私の罪とされていることは、不名誉で忌むべきものとされている役職についているということだけであります。しかし、私は判事の皆様にお伺いしたい。国家において不名誉で忌むべき役職などというものがあるものでしょうか？

恥辱は犯罪にのみ付随するもので、犯罪のないところに恥辱はあり得ません。私の任務遂行は犯罪ではありません。それどころか、正義の行為であり、私が犯罪人に刑を執行するとき、判事の皆様が判決を下すときと同じく、私は公正さの原理に従っているだけであります。私の仕事と判事の皆様の仕事は密接につながっており、もし皆様が私の仕事を糾弾するならば、皆様はご自身の仕事をも糾弾せざるを得ません。私は判事の皆様の命令に従って行動しているにすぎず、もし私の職務に何らかの非難されるべき点があるとすれば、それは皆様方の責任に帰せられるべきものでありましょう。と申しますのも、法の精神によれば、犯罪を命じる者はそれを実行する者よりも罪が重いとされているからであります。

ところで、もし国家に私のような職務を遂行する者がいないとしたら、王国はどうなりましょうか？　皆様が犯罪人を罰する判決を出しても、それを執行する者がいないというのでは、皆様の出す判決は嘲弄《ちょうろう》の的になるだけであります。人殺し、盗人が世に跋扈《ばっこ》することになりましょう。なぜなら、犯罪人が恐れるもの、それは皆様が下す判決の文章でもなければ、判決文を書く書記官の羽根ペンでもありません。彼らを震え上がらせるもの、それは私の剣であります。この剣があってこそ、無辜《むこ》の人々は安心して息をし、秩序が保たれるのであります。

私の任務は人を殺すことだと私の職務を非難する人々がいることは、私もよく承知しております。そして、私の職務を嫌悪の念をもって見るわけであります。しかし、これはまったく誤った考えであり、偏見でしかありません。国家の利益によって要請されるときには、人間の血を流すことに低俗さも卑しさもないのです。軍隊のことを思い浮かべていただきたい。軍人に、あなたの職業は何かとたずねていただきたい。私と同じように、人を殺すことだと答えるでしょう。それだからといって、軍人を避けようとする人はいませんし、一緒に食事して名誉を汚されたと思う人もいません。軍人においては誉められることが、なぜ私の職業では嫌悪の的になるのでありましょうか？　たしかに違いはあります。しかし、それも私に不利になることではありません。なぜなら、軍人が殺すのは無実の人、義務を果たしている人ですが、私が殺すのは犯罪人だけであり、無辜の人、義務を果たしている人は、何ら私を恐れる必要はないからであります。

私には、軍隊を貶《おとし》めようという気はまったくありません。軍隊は国境を守り、敵の策謀をくじき、われわれに平和を享受させてくれています。これほど社会にとって有用な職業が名誉に包まれるのは当然のことであります。しかし、判事の皆様、私の職業もまた、社会にとって有用だということをお認めいただきたいのです。軍隊は国外に対して平和を維持し、私は国内において平和を維持しているのであります。そして、平和の維持に関しては、私は軍隊以上に貢献していると言っても、過言ではありません。軍隊はいつでも敵と戦っているわけではありません。この二十年間、外敵との戦闘はありませんでした。ところが、犯罪を罰し、無辜の人々の権利を守るために私の腕を武装せずにすむのは、せいぜいのところ一週間です。しかも、軍には十万人の人間がいます。公共の安寧を維持するという栄誉を十万人の軍人たちが分かち持っているわけであり、一人ひとりの軍人の持ち分・貢献度はきわめて小さなものです。私の職業においては、広大な管轄地域全体の公的安寧を、たった一人の責任において維持しているのであります。

決闘で相手を殺した場合、その者は嫌悪の的、一緒に食事をするべきではない人間、道で会っても挨拶すべきではない人間となるのでしょうか？　まったくならないのであります。その者はなかなかの人間と見なされ、勇敢な人間とされるのであります。なんということでしょうか！　個人的な凶暴な欲求を満たすために同胞を殺《あや》めた愚か者は称賛され、社会のために有用な職務を果たしている実直な人間は忌み嫌われ、一緒に食事することは不名誉だとされるのであります。これは、われわれの世紀の汚辱となることでありましょう。判事の皆様、こうした倒錯した趣味を改めるのは皆様の職務です。

犯罪を罰し、無辜の人々を保護するために、神は国王の手に剣をゆだねました。国王みずからがこれを実行することができないため、国王はこの任務を私にゆだねてくださいました。王権のもっともすばらしい特性、国王のみに帰属するこのかけがえのない任務、これが私の手にゆだねられているのであります。私は、自分にゆだねられた剣を行使して犯罪を罰し、陵辱された美徳のために復讐するのであります。このことによって、私の職務は玉座により一段と近づくものともなるのであります。

X侯爵夫人の弁護人はご存じないようですが、そしてそんなことで弁護人が務まるものかと私は驚くのでありますが、古代史をひもとけば、史上名高い王たちが、側近のだれかに友情の証《あか》しと最高の名誉を与えたいと思ったときには、私が行使する栄誉を担っている任務と同じような任務にその者を任じた例をいくつも見ることができます。ソロモン王しかり、ダヴィデ王しかり、であります。この幸せな時代には、裁判所というものはありませんでした。王が判決を下し、寵臣が刑を執行したのでした。王と死刑執行人、この両者によってよき秩序が保たれていたのであり、この両者は一方なくしては他方もないという、緊密な相互関係によって結ばれていたのであります。

私の家系は代々、父親から息子へとこの職務を受け継ぐ名誉を担ってまいりました。これは代々受け継がれる貴族の称号と同等のものであり、私はX侯爵夫人と席次を争う十分の資格があると思っております。

私が判事の皆様に求めるのは、好意でもありませんし、恩恵でもありません。私が皆様にお願いしたいのは、公正さのみに依拠していただきたい、ということだけであります」

このシャルル－アンリの弁論にはグリゼル師の教育の成果が感じられる。とくに「X侯爵夫人の弁護人はご存じないようですが、そしてそんなことで弁護人が務まるものかと私は驚くのでありますが」という自信満々の前置きで展開される「古代史をひもとけば……」の件《くだり》は、グリゼル師から何度となく聞かされた話であったにちがいない。

裁判所の判断は「関係書類は当該事務局に留保されるべきことを命ずる」というものだった。事実上の訴え却下、プロの弁護士を相手にサンソンが勝ったのである。

シャルル－アンリがみずから行なった弁論は、死刑執行人という自分たちの職業の正当性についての堂々たる主張であった。このような主張をしたのは、まず第一に、自分の存在を守るためであった。絶えず自分の職業の正当性を自分に納得させるのでなければ、とてもやっていけるものではない。そして第二には、先祖と一族の名誉を守るためであった。自分たちが世間から差別され、除け者にされてきたのはまったく不当なことだというのは、シャルル－アンリの心からの叫びであった。

しかし、シャルル－アンリみずからが行なった弁論を聞いて何よりもまず先に想起されるのは、こうした論理を展開できるようになるまでに彼がたどってきた道のりの長さである。こうした主張を堂々と言えるようになるまでに、シャルル－アンリはどれほどの屈辱と苦悩を味わってきたことであろうか。

そして、シャルル－アンリにはわかっていたのである。人間の自然の感情に対しては論理の力は無力であるということを。敵を殺した兵士は称えられ、相手を殺した決闘者は許されるけれども、処刑台で人を殺す死刑執行人は恥辱でおおわれ、忌み嫌われるのがこの世の習いなのだということを。

それでもシャルル－アンリは自分の職業の正当性を声高らかに訴えずにはいられなかった。そうでなければ、自分の家族、父、祖父、先祖たちがあまりにも惨めではないか。

──しかし、死刑執行命令書を受け取るたびに感じる、あの重苦しさは、なんなのだろう？死刑囚を手にかけるに先立って感じる、あのなんとも言えぬ嫌悪感は？

シャルル－アンリは敬虔《けいけん》なカトリック教徒として育てられてきた。教会で祭壇の前に跪《ひざまず》くとき、シャルル－アンリはいつも恐ろしい胸苦しさを感じるのを禁じ得なかった。どこからか声が耳に響いてくるのである──「汝《なんじ》、人を殺すなかれ」

第一章　国王陛下ルイ十六世に拝謁

革命前夜のヴェルサイユ

一七八九年四月、シャルル－アンリ・サンソンはルイ十六世に謁見するためにヴェルサイユ宮殿を訪れた。

一七七四年にルイ十五世が死亡し、ルイ十六世の御代になって十五年たっていた。シャルル－アンリは、一七七八年に父親のジャン－バチストが死亡したのにともなって、ルイ十六世の名による死刑執行人の正式な叙任状を交付された。叙任状の交付料として六千リーヴル支払った。これは、登録料のようなものである。それから十一年、当年とって五十歳、若い頃の少し浮ついた伊達男ぶりも影をひそめ、シャルル－アンリも今ではすっかり落ち着いたサンソン家の当主だった。

ヴェルサイユ宮殿は、太陽王ルイ十四世（在位一六四三－一七一五）の造営になる絶対王政の象徴で、その壮麗さは他の国王たちを羨ましがらせ、ヨーロッパ各地にヴェルサイユを模倣した宮殿が建てられたものだった。輝かしい太陽王の治世にあっては、フランスは国王を頂点に整然と階層化され、いかなる問題も存在しない完成された社会とされていた。静的な時代であり、「ヴェルサイユの庭園の噴水の水でさえも止まっているように見えた」と言われた。

見る者を圧倒するヴェルサイユ宮殿の外観の重々しさは昔のままだが、かつての整然と秩序づけられた時代とは違って、世は流動化の兆しを見せていた。前年の六月、グルノーブルで王国軍に対して屋根瓦が投げつけられるという事件があったし、この一七八九年の一月にシエイエスが出した政治的パンフレット『第三身分とは何か』は一世を風靡《ふうび》していた。

シエイエスは言う。

「第三身分とは、何か？——すべてである。

政治の領域において、これまで第三身分は何であったか？——何ものでもなかった。

第三身分は何を求めているか？——政治において、何ものかになることを」

これまでのフランスは身分制社会だった。日本の「切り捨て御免」ほどではないにしても、身分によってかなりの格差があった。第一身分が僧侶、第二身分が貴族、残りが第三身分で、人口の九十八パーセントは第三身分だった。ただ、僧侶が第一身分とはいっても、ほとんど王侯のような暮らしをしている枢機卿や大司教といった一握りの高位聖職者と、一般の住民の間で生活しているその他大勢の司祭たちとの間には利害の対立があり、この後者の僧侶たちの立場は第三身分に近かった。実質的に社会の実権を握っていたのは第二身分の貴族階級であり、二パーセントにも満たない人間が国の中枢を牛耳り、九十八パーセントの人間を支配していたのであった。

役所でも軍隊でも、いちばん大事なのは、能力や実力ではなく「生まれ」だった。大貴族の家に生まれた人間は、能力もなく大して仕事をしなくても順調に出世していく。あるいは、世襲で受け継いだ顕職に最初からつく。逆に、一般庶民の場合は、どんなに能力があり、立派に勤め上げてもあまり上のほうにはいけない、というふうになっていた。こうした身分制がさまざまな社会的ひずみをうみ、国の発展を妨げる障害になっていた。これまで国の運営から排除されてきた第三身分が《自由と平等》の革命思想の洗礼を受けて権利に目覚めれば、二パーセントの人間が九十八パーセントの人間を支配するシステムが長続きするはずがなかった。

そして、食うや食わずの貧乏人からは厳しく税金を取り立てる一方、贅沢《ぜいたく》三昧の暮らしをしている貴族は税金を払わなくともいいというのもおかしかった。貴族が税金を払ってくれれば、破綻に瀕している国家財政も好転するのだが、貴族は貴族で、免税は昔から認められてきた自分たちの特権だと主張し、既得権を手放すまいとしていた。

この年の五月に、百七十五年ぶりにヴェルサイユで三部会が召集されることになっていた。各身分の代表を選ぶ選挙はすでに終わっていた。宮廷が三部会の召集を決めたのは、財政再建に国民の協力を求めるためだが、ルイ十六世の呼びかけに応じて、宮廷には財政以外のさまざまな問題についての陳情書もフランス全土から多数寄せられており、三部会ではこれらの問題も論議されることになっていた。この三部会が、やがては国会（立憲国民議会）に発展するのである。

シャルル－アンリ・サンソンは、世の中が流動的情勢になっていくのを好ましく思いながら見守ってきた。《自由と平等》の思想にもとづいて、さまざまな悪弊は正されなければならないと考えていた。進歩と人間解放の理念が世に浸透していけば、これまでさまざまな偏見に苦しめられてきた人々も救われるのではないだろうか。死刑執行人の家系に生まれた自分もその一人なのだが……。

ただ、シャルル－アンリは非常に熱心なクリスチャンであり、王家に対して揺るぎない尊敬の念を抱いていた。そもそも、先祖伝来の死刑執行人という家業自体が国王から委任されたものだ。彼にとっていちばん理想的なのは、新たに憲法を制定してフランスが立憲君主主義国として生まれ変わり、国王と国民が一致協力して新しい国造りに励んでゆくことだった。

マリー－アントワネットの「首飾り事件」

世の中が変わりつつあることを告げる兆候は、もう何年も前から現われていた。

王妃マリー－アントワネットを巻き込んだ「首飾り事件」は、王家の威信を著しくそこない、すでに揺らぎはじめていた絶対王政の屋台骨にさらなる追撃を加えた出来事として名高い[1]。五百四十個のダイヤモンドからなる、価格百六十万リーヴルの首飾りをめぐる詐欺事件で、首謀者はラ・モット伯爵夫人という、若い女性だった。

　事件の元になった首飾りは、ルイ十五世が寵姫のデュ・バリー夫人のために宮廷御用達の宝石商に注文して作らせたものだが、完成前にルイ十五世が死亡し、デュ・バリー夫人は宮廷から追放されたため、せっかくの首飾りが宙に浮くことになった。宝石商は出来上がった首飾りを新たに王妃となったマリー＝アントワネットのところに持っていき、何度か購入を打診したが、王室財政が悪化している時期、あまりに値段が高すぎるため、宝石には目のないマリー＝アントワネットも手を出しかねていた。

　ラ・モット伯爵夫人、ジャンヌ・ド・ヴァロワは、もとはと言えば、「古《いにしえ》のフランス国王の末裔《まつえい》の少女にお恵みを！」と街で物乞いしているところをパリ市長夫人、ブランヴィリエ侯爵夫人に拾われたのであった。市長夫人は少女を引き取って育てる一方、専門家に系図を調査させた。その結果、少女はたしかにヴァロワ王家の血を引いていることが確認され、宮廷から八百リーヴルの年金が支給されることになった。一七八〇年にジャンヌは、王弟の親衛隊に勤務するラ・モット伯爵と結婚して伯爵夫人となり、宮廷に出入りを許される身にもなった。

「街で物乞いをしていたころには想像もできなかった、望外の幸せ！」と我が身の幸運にうっとりするかと思いきや、そんなことはまったくなかった。この女性の野心は、この程度で満たされるものではなかったのである。

ラ・モット伯爵夫人はこんなふうに考える——旧王家のヴァロワ家も現王家のブルボン家も、ともにカペー家から出た家柄だ。つまり、自分はマリー－アントワネットとは親戚関係にある。それなのに、向こうは王妃、こっちは金にも困る境遇でしかない。なんという不公平だ！

たしかに、軍隊勤めのラ・モット伯爵は財産家ではなかったから、軍人の俸給だけでは贅沢はできなかった。財産家のロアン枢機卿の愛人になり、枢機卿からもらう金で幾分か贅沢気分を味わうことができていた。「幾分か」というのは、彼女の規準で言えばということで、事件前までに彼女が枢機卿から受け取った金は総額十二万リーヴルにのぼるということだから（現在の日本円に換算すると億単位の金になる）、普通ならこれで十分に満足するところだ。

「百六十万リーヴルのダイヤの首飾り」——ラ・モット夫人の頭に閃《ひらめ》くものがあった。これは、ロアン枢機卿からまとまった大金を引き出すチャンスだ、と彼女には思われるのだった。

ロアン枢機卿は宰相になることを夢見ていた。自分はロアン家というフランス有数の名門の出なのだから、その資格は十分にあると思っていた。貴族として最上級の「プリンス」の称号を持ち、ストラスブール大司教、フランス宮廷司祭長を兼ね、アカデミー・フランセーズ会員でもあった。僧職の身だが、信仰ほど彼に縁遠いものはなかった。あのシャルル－アンリの家庭教師、生涯をひたすら神学の研究にささげたグリゼル師の爪の垢でも煎《せん》じて飲ませてやりたいような男である。宰相の地位を狙うロアン枢機卿のいちばんの悩みは、王妃のマリー－アントワネットから冷たくされていることだった。

ラ・モット夫人の筋書きはこうだった——

まず、自分は王妃と親しい関係にあるとロアン枢機卿に信じ込ませる。本当は、言葉を交わしたことさえ一度もないが、「だって、王妃と私は従姉妹同士なんですもの！」と言っておけば十分だろう。次に、マリー＝アントワネットがこの首飾りをほしがっており、これをプレゼントすることによって王妃との関係を改善できると吹き込むのだ。枢機卿に首飾りを買わせ、マリー＝アントワネットに届けると称して、自分のものにする。そのままでは処分は無理だから、首飾りをばらし、安全を考慮して、パリではなくロンドンで売却するのだ。

事態は、ほぼラ・モット夫人の計画どおりに進行した。ロアン枢機卿にマリー＝アントワネットの筆蹟を真似た偽の手紙を見せたり（これはプロに頼んで書いてもらったものだ）、真夜中にヴェルサイユ宮殿の庭で、これもやはり背格好の似た偽者のマリー＝アントワネット（実は娼婦）に引き合わせるなど、ラ・モット夫人のやり方はなかなか手の込んだものだった。

ロアン枢機卿はたしかに財産家だった。しかし、大変な浪費家でもあった。なにしろ、パリ市内だけでも十二ヵ所に愛人を囲っていたと言われるほどだ。ラ・モット夫人は、ロアンが極度に自惚れが強い割には少々間抜けである点につけこんだのだったが、ロアンがここまで駄目な男だということがわかっていたかどうか。ロアンはまとまった金を手元に用意することができなかったのだろう。分割払いで首飾りを購入したものの、第一回分からして代金を期日までに決済できなかった。

宝石商は、ロアン枢機卿が王妃の代理として首飾りを購入すると聞かされていたので、直接王妃のところに問い合わせた。これで事件が明るみに出、ラ・モット夫人とロアン枢機卿をはじめとする事件関係者が次々に逮捕された。

事件はパリ高等法院で審理され、一七八六年五月に判決が出た。ラ・モット伯爵夫人に下された刑は、笞打ち十二回の後、焼き鏝の刑、その上でサルペトリエール療養院（女性用監獄を兼ねる）に終身禁固、というものだった。

シャルル－アンリ・サンソンは刑を執行する当日になって初めてラ・モット夫人に会っただけだが、彼によると、ラ・モット夫人は「中肉中背だが、スタイルは非常によかった。痩せ気味というよりは小太り気味だった。顔つきは感じがよく、すぐには顔の造りのアンバランスに気づかれない。表情は動きに富み、とても魅力があった。鼻の先がイタチのようにとんがっており、表現豊かな口は大きすぎ、驚くほどの輝きを放つ目が小さすぎることに気がつくのは、よくよく観察したあとのことだった。いちばんの美点は髪の豊かさ、肌の白さ、手足の繊細さだった」ということである。(2)

さすがに往年の色男だけに、短い時間によく観察している。ラ・モット夫人は三十歳になったばかりだった。

ラ・モット夫人は確信犯であり、罪はロアン枢機卿とマリー＝アントワネットになすりつけようとしていた。裁判中のラ・モット夫人の態度から見て、刑場で王妃を傷つける発言をするといった不測の事態が予想された。このため、刑の執行はパリ市内の広場ではなく、収監されていたコンシエルジュリ監獄の中庭で行なわれることになった。ラ・モット夫人が刑の執行にかなりの抵抗をすることが予測されたので、ある裁判官は縛りあげた上で処刑台に連行することを提案したが、シャルル＝アンリは「女性をあまりに手荒に扱うと、観衆の同情を誘って、かえって面倒なことになるので」と言って、自分に任せてくれるように検事総長に申し入れた。

しかし、結果論から言うと、この裁判官の言うようにしていたほうがよかった。ラ・モット夫人は独房を出てすぐのところから大暴れし、大の男五人がかりでやっと取り押さえるのに成功するという有様だった。歩いて連れていくのは無理だったので、結局はやはり縛りあげて担いで処刑台に連行することになった。

監獄の中庭の門は開いており、一般の人も見ることができるようになってはいたが、朝六時という早い時間だったので、見物人はそれほど多くはなかった。

ラ・モット夫人の上半身を裸にして処刑台の上に腹這いにさせ、シャルル＝アンリみずからが背中を十二回笞打った。次に、両肩に「盗人 voleur」の頭文字Vの焼き鏝を押すことになっていた。さすがのラ・モット夫人も笞打ちのあとはぐったりしていたので、シャルル－アンリはその隙をつき、焜炉《こんろ》から焼き鏝を取り出して肩に押し当てた。ラ・モット夫人は傷ついた動物のような叫び声をあげ、体を押さえつけていた助手の一人に飛びかかり、手に嚙みついて肉を食いちぎった。なお激しく身をもがいて抵抗しつづけたので、もう一つのVは肩からずれて乳房のところに押された。

ロアン枢機卿のほうは裁判で無罪の判決を受けたため、疑惑はマリー－アントワネットに向けられることになった。マリー－アントワネットの派手な暮らしぶりはよく知られていたので、マリー－アントワネットが一枚嚙んでいると考えるほうがなんとなく自然に思われるのだった。それほど厳重なものではなかった監視の隙をついてラ・モット夫人は十ヵ月後に脱獄に成功するが、これさえも宮廷が手を貸したのではないかと疑われた。ラ・モット夫人が宮廷に不利な証言をするのを恐れた、というのだった。ロンドンに逃れたラ・モット夫人は、事件の首謀者はマリー－アントワネットとロアン枢機卿であり、首飾りを手に入れたのもマリー－アントワネットだと主張する『回想録』をロンドンで出版する。なんともしたたかな女性である。

王妃が詐欺事件に関与したかのような印象を残したこの事件は、王家の評判をいたく傷つけ、王権の威信を失墜させた。革命期の人々にも「首飾り事件」が革命の予兆になったという意識はあり、たとえば革命初期の指導者ミラボーは、この事件は「大革命の序曲」だったと位置づけている。

この一七八九年の春になって社会はさらに波立ってきているわけだが、シャルル－アンリ・サンソンが世の中は変わりつつあるということを何にもまして切実に実感させられたのは「ヴェルサイユ死刑囚解放事件」だった。「首飾り事件」はよく本で取り上げられるし映画にもなった有名な事件だが、「ヴェルサイユ死刑囚解放事件」はほとんどまったく知られていない。

「ヴェルサイユ死刑囚解放事件」

この事件はつい八ヵ月前、ヴェルサイユ宮殿のすぐ近くで起こったことであり、サンソンも当事者の一人だった。

一七八八年八月三日、ヴェルサイユの聖ルイ広場でジャン－ルイ・ルシャールという青年が車裂きの刑に処せられることになっていた。罪名は、父親殺し。

処刑執行の前日の朝、サンソンは処刑台組み立てに必要な資材を積んだ荷馬車をヴェルサイユに発たせ、午後、進行状況を点検するためにみずからヴェルサイユにやってきた。サンソンは事件の詳しい話は聞かされていず、普通の事件のつもりでやってきたので、街に異様な緊張感が張りつめているのに驚かされた。処刑は翌日だというのに、聖ルイ広場はすでに人でいっぱいで、助手たちは処刑台組み立て作業に必要なスペースを確保するのにも苦労していた。

車裂きの刑というのは、まず処刑台の上で死刑囚の脚部、大腿部、腕、腰、胸部等を鉄の棒で打ち砕いた後、処刑台脇のところに地面と水平に据えた馬車の車輪の上に死刑囚を仰向けの姿勢で死ぬまで放置し（仰向けの姿勢を取らせるのは、天に許しを請わせる意味合いを持つ）、それから火炙《あぶ》りの刑と同様に遺骸を焼却するものである。大量の薪も用意しなければならないので、斬首刑や絞首刑の場合よりも多くの資材を必要とし、準備にも手間がかかる。

サンソンは車裂きの刑はこれまでにも何度となく執行してきた。車裂きの刑がとくに多くの群衆を集めるのは毎度のことだが、今回は少し様子が違っているように思われた。広場を見渡したサンソンは、これは危ない、と直感した。自分たちに対して群衆からあからさまな敵意が向けられているわけではなく、からかい半分のヤジが盛んに投げられるだけだったが、群衆の間には共通の感情のようなものがあるように感じられた。群衆の中に、活発な動きから指導的な立場にあるとわかる集団があり、群衆がこの集団の統制に従っているのが見てとれた。

何らかの混乱が生じる可能性があると思われたので、サンソンは処刑台の周囲に頑丈な柵を設置する一方、警備担当の責任者に会って情況を説明し、警護の兵士の数をふやしてくれるように頼んだ。

　車裂きの刑にかけられるジャン＝ルイ・ルシャールは「父親殺し」という恐ろしい罪に問われていたが、非常に評判のいい好青年だった。父親を死に至らしめたのはたしかにジャン＝ルイであり、彼も罪を認め、深く後悔していたが、これは事故にすぎなかった。

　ジャン＝ルイの父親、マチュラン・ルシャールはヴェルサイユのモントルイユ通りに店を構える蹄鉄製造職人だった。蹄鉄製造は先祖代々の家業であり、最大のお得意さんは、ほかでもない、ヴェルサイユ宮殿の主、王家だった。マチュラン親方（町の人たちはこう呼んでいた）は蹄鉄製造こそ最高の職業と信じて疑わず、蹄鉄を作る技術についても絶対的な自信を持っていた。仕事場で蹄鉄作りに精を出すマチュラン親方の態度からは、人生に成功した男の誇りがほとばしり出ていた。数人の住み込み徒弟たちの上に君臨し、かなりの財を蓄えてもいた。

　ジャン＝ルイはマチュラン親方の一人息子だった。妻はジャン＝ルイを産んで死んだのだったから、マチュランが息子に限りない愛情を注いで育ててきたのも当然だった。商売の跡取りにするジャン＝ルイにそれほど学問はいらないのだが、息子可愛さのためか、それとも見栄を張りたかったのか、マチュランは息子を身分不相応にパリのコレージュ・デュ・プレッシーという名門校に進学させた。

学校を卒業したジャン＝ルイは家に戻り、家業を継ぐべく、父親のもとで蹄鉄工の修業をはじめた。体格からいっても、物覚えのよさからいっても、ジャン＝ルイの蹄鉄工としての素質は悪くなかった。良家の子弟と机を並べて勉学に励み、知的雰囲気に馴染んできたジャン＝ルイにとって、蹄鉄製造職人になることはあまり気に染むことではなかったが、息子は先祖代々の家業を継ぐものと決めてかかっている父親の気持ちがよくわかっていたので、不満はいっさいもらさなかった。「天地開闢《かいびゃく》以来、ルシャール家はずうっと蹄鉄工だった」というのがマチュラン親方の口癖だった。背も高く、美男、人には親切で性格もよく、しかもパリの有名学校の出で立派な教養も身につけているとなれば、評判の悪かろうはずはなく、ジャン＝ルイはマチュラン親方にとって自慢の息子だった。懸命に家業修得に努めたジャン＝ルイは、やがて蹄鉄工仲間の間でも腕のいい職人として評価されるようになった。

しかし、父と子の間に大きな亀裂が生じることになった。世の中が革命的情勢に流動化しつつある社会的雰囲気の中では、どうしても政治問題がよく話題になる。ジャン＝ルイはパリの学校で、当時の流行思想、ヴォルテール、ルソー、モンテスキュー、ディドローらの革命思想の洗礼を受けてきたのだった。

マチュラン親方は新思想を毛嫌いし、古い習慣にしがみつく、典型的な頑固親父だった。人間の平等など幻想にすぎない、ロバの耳をちょんぎったところで馬になるわけではない、そもそも、人間の平等などという言葉を口にする連中は、落ちこぼれの出来そこない、他人の成功をねたむ連中だ、世の中には秩序というものがあり、人間にはそれぞれの分というものがある、国王陛下の権威に少しでも逆らう者は、このマチュラン親方が蹄鉄作り用のハンマーの一撃で成敗してくれる、といった調子だった。

マチュランは息子に、革命思想など捨てるように迫った。

これまで父親に反抗したことなど一度もなかったジャン－ルイだが、頭ごなしに自分の考えを否定されて、意地になった。言うことを聞かないので、マチュランはジャン－ルイを家から追い出した。これまで可愛がってきた一人息子とはいえ、革命思想にかぶれたのでは、もはや地獄に堕《お》ちたも同然、とても我が子とは思えなくなっていた。

マチュラン親方の家には、親戚にあたるヴェルディエ夫人という未亡人とその娘エレーヌが身を寄せていた。ジャン－ルイとエレーヌは恋仲にあった。マチュランは、再婚して新たに世継ぎを作るのが息子を罰するいちばんの方法と考え、結婚相手としてエレーヌを選んだ。よりによって息子の恋人を結婚相手に選んだのは、息子が受けるはずのダメージを計算に入れてのことだった。ヴェルディエ夫人もこの結婚には大乗り気だった。今や家を追い出されて無一文の身になったジャン－ルイより、一財産ある父親のほうが婿としてずっと望ましかった。エレーヌの意向については、マチュラン親方もヴェルディエ夫人もまったく気にも留めていなかった。この頃は、結婚相手は親が決めるものだったから、手続き的にはこれで問題はないのであった。ともかくも、これで父と息子は反革命派と革命派として反目するだけでなく、恋敵にもなってしまった。

ある夜、ジャン－ルイは、かつての我が家のそばで久しぶりにエレーヌに逢い、お互いの気持ちを確かめ合った。エレーヌは母親が寝入ったのを見計らって家の外に出てきたのだったが、家に戻ったとき、運悪くヴェルディエ夫人が目を覚ましてしまった。ヴェルディエ夫人は、娘が自分の目を盗んで外出したことに憤激し、エレーヌを庭に引きずり出して折檻した。エレーヌが無事家に戻るのを見届けるために家の近くにとどまっていたジャン－ルイは、助けを求めるエレーヌの声を聞いて何も考えずに駆けつけ、庭でばったり父親に出くわした。

マチュラン親方はさんざん息子を口汚く罵ったあと、さらに逆上し、仕事場にあったハンマーを振るってジャン－ルイに襲いかかってきた。ジャン－ルイは父親の攻撃をかわしつつ逃げ回り、なんとか父親の手からハンマーを奪い取り、家の外に逃れ出ることに成功した。逃げる際、彼は後ろ向きのままハンマーを肩越しに放り投げた。ハンマーはかなり重いもので、ジャン－ルイも興奮していたのでつい力が入り、ハンマーに勢いがついてしまったのだろう。ハンマーは父親のこめかみを直撃し、頭蓋骨陥没、そのために父親が死亡してしまったのであった。

ジャン－ルイは、事故とはいえ父親の死を招いたのは自分なのだから、当然罪を償わなければばならないと思った。裁判でもいっさい弁解せず、ジャン＝ルイが父親を殺すのを見たと言うヴェルディエ夫人の証言にも少しも反論しなかった。こうして、ジャン＝ルイは父親殺しの罪により死刑、車裂きの刑の判決を受けたのであった。

ヴェルサイユの町の人々は、最初は「父親殺し」という罪のおぞましさに憤慨したものだったが、事情が明らかになるにつれ、風向きが変わった。ジャン＝ルイの友人たちは、ジャン＝ルイは父親による虐待の犠牲者であること、父親の不当な態度にもかかわらずジャン＝ルイが父親思いの息子でありつづけたこと、を人々に訴えた。そして、父と子の対立のそもそもの原因が政治的意見の違いにあったことが知られるにおよんで、政治的事件の様相もおびるようになった。人々は、父親が息子の恋人を奪い取ろうとしたことにも批判的だったから、一方的にジャン＝ルイに同情が集まった。サンソンが感じた異様な雰囲気は、ジャン＝ルイをむざむざと処刑させてなるものかという人々の気持ちの表われだったのである。

親殺しの罪人の場合、科される刑は死刑と決まっていたが、普通は死刑執行に先立って手首切断の刑がともなう。まずは直接悪事を働いた体の部位を罰するのである。ジャン＝ルイ・ルシャールに対する判決ではこの刑には言及されておらず、サンソンはここに刑罰の人道主義化の兆候を感じた。やはり、世の中は進歩しているのだ、と。この三ヵ月前、一七八八年五月八日には、ルイ十六世によってあらゆる拷問が全面的に廃止されていた*。サンソンは、囚人に無益な苦痛を与える拷問に前々から反感を感じていたので、これを喜んでいた。また、サンソンが受け取った命令書には「車裂きの刑にかかる前に死刑囚をひそかに絞殺することを許可する」旨の特記事項がつけ加えられていた。死刑囚になんらかの情状酌量の余地があるときは、死刑囚の苦痛を軽減するために裁判所はこのような特記事項を付加する。命令書に書かれていなくとも、サンソンが独断でこれを実施することもあった。

＊一七八〇年に自白を強要するための拷問を廃止する王令が出ていた。この一七八八年には、共犯者の名前を言わせるための拷問も含め、すべての拷問が廃止された。

処刑場での救出劇

サンソンの報告を受けて、治安当局は不測の事態を避けるために処刑時間を八月三日早朝に繰り上げた。人々が目を覚ます頃にはすべてが終わっているというふうにしたかったのだが、こうした配慮もなんの効果もなかった。ジャン－ルイを乗せた馬車が四時半に牢獄を出たときから、普段なら人々が寝静まり人っ子一人いないはずの付近の道路が人で埋めつくされ、サンソンは馬車を進めるのにも難渋した。

馬車はジャン－ルイの知り合いや仕事仲間と思われる男たちに取り囲まれた。男たちは口々にジャン－ルイを励ましていた。中でも、ひときわ体格のいい、職人ふうの若い男が目立った。

この男が仲間全体を指揮しているようだった。囚人護送馬車の警護についている兵士たちが男たちを馬車から引き離していたが、兵士たちも群衆の勢いに飲み込まれ気味だった。

途中、かん高い女性の声が一瞬、喧噪を破った。人々がそのほうを見ると、若い女性が泣きながら白いハンカチを振っていた。ジャン－ルイは手足を縛られていたにもかかわらず立ち上がって女性のほうを振り向いた。ジャン－ルイが涙を流しながらも笑みを浮かべて「さようなら、エレーヌ、さようなら！」とつぶやいているのが、サンソンにも聞こえた。

サンソンはジャン－ルイを処刑台の上まで連れてくることはできたが、とても処刑にかかれる雰囲気ではなかった。広場中が騒然とし、群衆が大きく波打っていた。やがて群衆が処刑台のほうに押し寄せてくるのがサンソンにはわかった。丸太をX字形に組んで並べた頑丈な柵もなんの用もなさなかった。たちまちのうちに群衆によって柵はばらばらにされ、群衆が四方から処刑台の上にあがってきた。サンソンが目を留めていた体格のいい若者がジャン－ルイの縄を解き、そのまま肩に担ぎ上げた。ジャン－ルイは救出されることを望まず、自分を救出しようとする人々に抵抗し、サンソンに「早く処刑してくれ！」と叫びかけたが、救出者の一団は委細かまわず、あれよあれよという間にジャン－ルイを広場の外に運び出してしまった。

サンソンは助手たちともはぐれ、処刑台の上でひとり群衆に取り囲まれていた。サンソンは、殺されるかもしれない、と思った。実際、群衆に殺された処刑人の例があることをサンソンは知っていた。先ほどジャン＝ルイ解放の指揮を取った体格のいい若者が近づいてきてサンソンの腕をつかんだ。いよいよ今度は自分が八つ裂きにされる番か……。

「シャルロ」と、その体格のいい若者はシャルルー＝アンリをこう呼んだ。

「シャルロ、怖がらんでいい。俺たちが憎んでいるのはあんたじゃない。あんたの道具だ。これからは、あんたがだれかを処刑するときは、あっさり殺さにゃいかん。車裂きのような、苦しめるために殺すやり方はいかん。地獄は神様に残しておこうよ。わかったかい、シャルロ」

それから若者は群衆に向かって叫んだ。

「みんな、シャルロを通してやってくれ。いいか、シャルロを罵ったりしたら、ただではすまんぞ！」

この言葉に群衆が割れて、通り道ができ、サンソンは広場から脱出することができた。

それから群衆は処刑台を打ち壊し、ジャン＝ルイの遺骸を焼却するために用意されていた薪の上に処刑台の残骸を積み重ね、火をつけた。老若男女が火の周りに輪を作り、歌を歌いながらダンスをはじめた。お祭り騒ぎのような雰囲気の中で、ダンスと歌声は夜更けまでつづいた。(3)

ジャン＝ルイ・ルシャールは、このまま刑の執行を免れた。

死刑囚が処刑台の上から救出されるという前代未聞のこの事件は、国家の決定が民衆の意思によって覆《くつがえ》されたものであり、しかも、国王が宮殿を構える本拠地、ヴェルサイユで起こったことである。これを革命と言わずして、なんと言おう。これは大革命が勃発する一年前に起こった一つの革命と言っていい。

ジャン＝ルイ・ルシャールはフランスで車裂きの刑が宣告された最後の例となった。以後、人々の反発を恐れ、裁判所は車裂きの刑の判決を出せなくなったのである。車裂きの刑の廃止が正式に宣言されるのは革命勃発後のことだが、事実上はこのとき、ヴェルサイユ住民の意思で車裂きの刑は廃止されたのであった。

ルイ十六世の人となり

命の危険を感じさせられはしたものの、サンソンにとっても、この事件は好ましいものだった。まず、一人の人間を殺さずにすんだという安堵感があったし、それに時代の流れという観点からは、拷問の廃止、無益な苦痛を与えるだけの刑の忌避といった、旧来の悪弊の是正、文明の進歩の流れの中にこの事件も位置づけられると思われたからである。

これはルイ十六世の統治の賜物、と言ってよかった。二度の王令によって拷問を廃止したのもルイ十六世だったが、シャルル＝アンリは囚人に無益な苦痛を与えることのないよう、いつも最大の努力をしてきたので、ルイ十六世が取ったこのイニシアティヴは彼にとって大いに歓迎すべきものだった。そして、ルイ十六世の即位以来、死刑判決自体も減少する傾向にあった。もともとルイ十六世を深く敬愛していたシャルル－アンリが、国王にますます強い期待を寄せるようになったのも当然だった。

ルイ十六世は錠前作りと狩猟が趣味という、きわめて真面目で、非常に善良な人物だった。妻のマリー－アントワネット以外の女性には興味がなく、ただの一人の愛人も持たなかった。これはフランス歴代国王の中で前代未聞の類《たぐ》いに属する。先代の国王ルイ十五世などは、政務はそっちのけ、ほとんど女性専門に生きたも同然で、六十人以上の私生児がいた。

ルイ十六世

フランスの宮廷には、日本や中国のような後宮はない。後宮や大奥には、正室に子供ができなかった場合に側室で世継ぎを確保する意味合いもあるが、フランスの場合は、キリスト教の教えにより、神の前において正式に結ばれた女性、すなわち王妃の子供にしか王位継承権が認められていなかったから、後宮を設ける大義名分がない。

その代わり、フランスの宮廷には「公式寵姫」という独特な制度があり、公式の愛人を一時に一人だけ持っていいことになっていた。公式寵姫は美貌と肉体と頭脳を武器にして国王のほかの愛人たちとの熾烈《しれつ》な闘いを勝ち抜いて宮廷のトップスターの座を射止めた女性なのだから、普通は、名門王家のお姫様という「血統」だけが売り物の王妃は容貌、才覚とも寵姫に太刀打ちできるはずがなく、公式寵姫の陰《かげ》に隠れるような地味な存在でしかなかった。席次はもちろん王妃のほうが上で、時々入れ替わる公式寵姫と違って王妃は永遠に安泰の身分でもあるが、宮廷の事実上の女主人は公式寵姫であり、舞踏会や宴会を主催し、王妃を凌ぐ勢いを見せることが多かった。

ルイ十六世は一人の愛人も持たなかったのだから、当然、公式寵姫もいなかった。このため、王妃のマリー＝アントワネットが公式寵姫の役割、つまり、女主人として宮廷を華やかに盛り上げる役割も担うことになった。一見、これで本来あるべき正しい状態になったように見えるが、これには不都合な面もあった。

派手で華やかな公式寵姫がいれば、世間の目はこの女性のほうに集中し、宮廷で何かスキャンダルが起こった場合でも、寵姫の陰に隠れる王妃はスキャンダルから守られるのである。つまり、公式寵姫は、王妃を世間の荒波から守る防波堤の役目も果たしていたのだった。ところが、ルイ十六世には公式寵姫がいなかったため、王妃のマリー＝アントワネットが世間の荒波をもろにかぶることになるのである。あの「首飾り事件」でも、ルイ十六世に公式寵姫がいれば、寵姫が事件に巻き込まれ、王妃のマリー＝アントワネットは無傷ですんだはずだった。ルイ十六世が非常に真面目な国王であったことは、本来プラスに評価されてしかるべきだったのに、かえって王家の威信に傷がつくという不運な結果を招いてしまったのであった。

意外と名君

ヴォルテールはフランスのみならず、十八世紀のヨーロッパを代表する作家、思想家、最高の行動する知識人である。宗教的偏見のために息子殺しという濡《ぬ》れ衣《ぎぬ》を着せられて処刑されたプロテスタント、カラスの名誉回復のために数年間ねばり強く運動し、ついには裁判所に誤りを認めさせた実績もある。ヴォルテールは拷問の残虐さにも憤っていた。辛辣《しんらつ》な皮肉でも有名なヴォルテールは、ルイ十六世に対して次のように呼びかけていた。

宴、領土拡大のための対外戦争、愛人たちの間にあって、王たる者に、こうしたおぞましさについてゆっくり考える時間などあるものだろうか？　おお、ルイ十六世よ、こうした気晴らしにいっさい無縁なあなたよ、あえてこの問題に取り組んでほしいものだ。(4)

ヴォルテールは、ルイ十六世の治世の五年目、一七七八年に名声に包まれつつ八十四年の生涯を閉じることになるが、拷問の廃止を願うヴォルテールの期待にはルイ十六世は立派に応えたことになる。

革命の混乱をうまく処理できなかったというので、ルイ十六世は無能にして鈍重な国王という評価を受けることになるのだが、どんな名君でも、フランス革命の荒波を乗り越えて絶対王政の枠組みを維持するのは無理だったであろう。革命はいつかは起こるべきものであり、ルイ十六世はたまたまその時期に遭遇したにすぎない。しかも、革命の引き金になったのは国家財政の破綻だが、これはルイ十六世一人の責任ではまったくない。前の二代の国王、ルイ十四世とルイ十五世が国費を濫費したツケがルイ十六世に回ってきたため、と言ってよい。

革命期の対応のまずさが強調されるあまり、革命前十五年間のルイ十六世のすぐれた治世が無視されてきたが、少し見直す必要がある。独立戦争に直面したアメリカを積極的に援助したのも、金をつぎ込みすぎて財政を悪化させた面はあるが、時代の要請に応えた外交政策としてもっと評価されるべきだろう。今日のアメリカがあるのもルイ十六世のおかげ、と言ってもいいのである。内政面においても、刑罰の人道主義化を推し進めたほか、一七八七年の寛容令によってプロテスタントやユダヤ人など、カトリック教徒以外の者にも戸籍上の身分を認めたのは、一六八五年に太陽王ルイ十四世がナントの勅令(プロテスタントを合法とした一五九八年の王令)を廃止して中堅産業層プロテスタントの国外大量移住を招き、国を疲弊させた失策を百年ぶりに正したものである。

ルイ十六世にはたしかに優柔不断なところがあったが、彼ほど善意の国王も少ない。また、一般に流布しているイメージとは違って、すぐれた頭脳の持ち主でもあり、同じ時期のヨーロッパの国王皇帝の中でももっとも教養あふれる君主だった。地理、精密科学、歴史に通じ、外国語も数ヵ国語話すことができた。平安の世がつづいていれば、啓蒙主義の時代にふさわしい進歩主義的な善政を布《し》いた国王として歴史に名を残すことになっていたことだろう。革命の嵐が吹き荒れるまでは、ルイ十六世は国民にも絶大な人気があった。

国王との最初の出会い

シャルル‐アンリ・サンソンが国王に謁見を願い出たのは、この二年間、俸給がまったく支払われなかったからであった。それ以前の給料未払い分も、合計すると俸給数年間分に相当する額になっていた。国家財政が破綻しかかっていたので、俸給を支払う余裕が国になかったのである。この時期に急に情勢が慌ただしくなってきたというのも国家財政の悪化が原因だったが、その影響はこんなところにまでもおよんでいたのだった。

かつてはサンソン家の生活レベルが貴族並みだったことは「序章」で述べたとおりだが、シャルル－アンリの代になって、経済状態が悪化していた。現物租税徴収の特権が廃止されて年俸制になったことだけでもサンソン家にとってはかなりの減収になったのだったが、その年俸が時々とどこおり、この二年間はぜんぜん支払われないとなれば、生活は非常に苦しくなる。今では、借金取りに追いかけられる始末だった。シャルル－アンリは国王に直接会って、経済的窮状を訴え、事態の改善を求めたいと思ったのであった。

シャルル－アンリは案内人のあとについて国王のところに向かった。宮殿の中というのは、慣れない者にとってはけっして居心地のいいものではない。だだっ広くて、古くさくて、厳《いか》めしい。シャルル－アンリは、国王に会う前からもう気が重かった。

シャルル－アンリは「プチタパルトマン（小居間）」と呼ばれている部屋に案内された。その部屋は「プチ」とは呼ばれていてもかなり大きな部屋で、黄金と大理石とクリスタルガラスでいっぱいだった。

正装した国王が、庭園に面した窓のところに立っていた。国王はシャルル－アンリのほうに半分背中を向け、時々外を見やっていたが、べつに何か目的があって外を見ているわけではないといった様子だった。

これが、二千五百万のフランス人の頂点に立つ国王陛下なのだ――シャルル－アンリは国王の尊厳さに打たれ、部屋の中に入っていく勇気が出なかった。

ルイ十六世は三十五歳、シャルル－アンリよりも十五歳年下だった。

国王は豪華な金の刺繍がほどこされた藤色の服を着ていた。頭の両側にカールさせた髪の房が垂れ、後ろの首のところで髪を紐で結んでいた。緩く締めたネクタイが、盛り上がるような首筋の筋肉をのぞかせていた。サンソンは国王が頑丈な体格をしているのを見て取った。短いキュロットをはいていたが、白い長靴下に包まれた脚がいかにも形がよく、高貴な人という感じを与えていた。

シャルル－アンリが扉を入ったすぐのところで立ち止まったため、二人はかなりの距離をおいて言葉を交わすことになってしまったが、その言葉が厚い絨毯《じゅうたん》に吸収されてさらに音が弱まるのであった。

「未払い分の金額を支払ってほしいという要望書を提出しましたね[5]」と国王は振り返りもせずに言った。「勘定を確かめ、支払いが遅滞なく行なわれるよう、命じておきました。しかし、国の金庫は今のところほとんどからっぽで、あなたは、たしか、十三万六千リーヴル要求しておいでだが、これはかなりの金額です」

「感謝と敬意の念をこめ、陛下のご厚意に御礼申し上げます。しかしながら、当方の事情について説明することをお許しくださるよう、陛下に謹んでお願い申し上げます。私の借金の額が非常にふくらんでしまいましたために、債権者たちはもはや辛抱しきれなくなり、私の自由すらが脅かされているのでございます」

当時は借金不払いのために身柄を拘束されることもあり、そのための特別の牢獄もあった。

この言葉で初めて国王はサンソンのほうを振り返り、二人の間ですばやい視線が交わされた。

ルイ十六世はブルボン家に特有の顔立ちをしていた。鷲鼻、上方にそぎ落としたような額、厚い唇。上着につけた聖霊騎士団勲章が輝き、白いチョッキの上に聖霊騎士団の青綬と聖ルイ騎士団の紅綬がのぞいていた。

サンソンのほとんど額《ぬか》ずかんばかりの態度に、国王は自分に対する敬意と愛着があふれているのを感じ取ったようだったが、それでも、初めて死刑執行吏というものを目にして国王がわずかに身を震わせたのをサンソンは見逃さなかった。

「少しお待ちください。そのことについては命令書を出しましょう」

ルイ十六世はそう言って、すぐ手元のところにあった呼び鈴を鳴らした。

一人の廷臣が現われた。

「ヴィルドゥイユさん、通行免状を発行させ、それにこれから私が言う名前を記入してください」

書類が着くと、ルイ十六世は、改めてサンソンにたずねることもせず、サンソンのフルネームを言って記入させ、最後に署名した。自分の名前は要望書で見ただけだろうに、よく覚えていてくれたものだと、サンソンは国王の記憶力のよさに感激した。サンソンは恭《うやうや》しく膝をかがめて、国王の手から書類を受け取った。
この奇妙な通行免状はサンソン家に長く保管されることになるが、それには次のように書かれていた。(6)

国王の命により

国王陛下はシャルル－アンリ・サンソン氏に職務をつつがなく遂行する手段を与えることを欲し、氏に対し、三ヵ月間有効の通行免状を付与した。この期間の間、国王陛下は、氏の債権者が氏に対していっさいの強制措置を発動することを禁ずる。すべての執行官、執達吏その他の者は、氏を逮捕してはならないし、不安を与えてもならない。すべての牢番、獄吏は氏の身柄を受領してはならない。命令に違反した場合は、不服従の罪に問われ、職務停止、諸費用負担、損害賠償の責を負う。この命令にもかかわらず、氏が投獄された場合は、国王陛下は、氏がただちに釈放されることを欲する。そうすれば、あらゆる牢番、獄吏は十分に職務を果たしたことになり、責任を問われることもないであろう。また、国王陛下は、当通行免状が、商務監督庁への通知をもって効力を発するものであることを欲する。

一七八九年四月十九日、ヴェルサイユにて発行

ルイ
ローラン・ド・ヴィルドゥイユ

王妃と王女

シャルル－アンリが国王のもとを辞し、また案内人のあとについて出口に向かう途中、ひときわ大きな階段の踊り場に、豪華絢爛たる装いをした一人の女性が現われた。物腰に、辺りを圧する威厳があった。二人の侍女と一人の廷臣が後ろにつづいていた。その女性を見て、居合わせたすべての人々がいっせいに恭しくお辞儀をした。

「王妃様のお出まし！」という廷吏の声が響いた。

シャルル－アンリが身近にマリー－アントワネットの姿を目にしたのは、これが初めてだった。シャルル－アンリが思わず王妃に見惚《みと》れていると、小さなドアから別の若い女性が現われた。身なりはずっと質素だが、その整った容貌からは天使のような善良さが漂い出ていた。

「こちらにいらっしゃいな、あなた！」と王妃がその女性に呼びかけた。「今日はお会いする

のは初めてね」
「国王陛下の妹君、エリザベート殿下ですよ」と案内人がシャルル－アンリに教えてくれた。「どちらがより尊厳さにあふれておられるかはわかりませんが、王妃様がこの地上最高のプリンセスのようなご様子だとすれば、妹君は天上のプリンセスというご様子ですね」とシャルル－アンリは答えた。この二人のプリンセスは数年後、二人ともシャルル－アンリの手にかかって断頭台の露と消えるのである。

玄関ホールにたどり着くと、シャルル－アンリは案内人に礼を言って別れ、前庭に出た。とても一人で宮殿の中を歩けるものではなかった。一人なら、きっと迷子になったにちがいなかった。

門を通り抜け、宮殿の敷地外に出たとき、シャルル－アンリはなんとも言えずほっとした気分になった。ヴェルサイユ宮殿の圧迫感というのはものすごいものだった。何とも言いがたい不安、自分でもよく理由がわからない居心地の悪さが、宮殿にいた間中、ずうっとシャルル－アンリに重くのしかかっていた。

居心地の悪さの理由は、たんに王国の頂点に位置する人々と初めて身近に接したという緊張感のためばかりでもなかったろう。宮殿の外と中の空気の違いにシャルル－アンリが気づいたためかもしれなかった。宮殿の外の空気は動いているのに、宮殿内は旧態依然として、空気がよどんでいた。王家の人々は世の中が変わりつつあることにまったく気がついていないように思われた。王家をこの上もなく尊敬し、国王にも強い愛着心を抱いているだけに、シャルル－アンリは、これで大丈夫なのだろうか、とさらなる不安をかき立てられたのであった。

ヴェルサイユ宮殿には、ほかの宮殿とは違う独特の臭いがあった、と後にある老公爵夫人は回想している。それは、輝かしい栄華を誇った王政の名残の臭いでもあり、新しい世の中の動きに対応できずに滅びつつある王政の臭いでもあったのだろう。

シャルル－アンリ・サンソンは生涯に三度、ルイ十六世に会う。これが最初の出会いであった。

シャルル－アンリ・サンソンの家

国王から通行免状を発行してもらったことによって、サンソンはひとまずは危機を回避した。これで、借金のために牢獄にぶち込まれるということはなくなった。「ムッシュー・ド・パリ」の自分が牢獄に入れられたのでは、まったく様にならない。通行免状の有効期限が三ヵ月ということは、未払い分の給料は三ヵ月以内に払ってもらえるということではないだろうか。まあとにかく、一安心というところだ。これで家のほうはなんとかやっていけるだろう……。

この頃、シャルル－アンリ・サンソンは、ヌーヴ－サン－ジャン街（現在のパリ十区、シャトー・ド街）に住んでいた。遺産分割のために手放した先祖伝来の土地からもすぐのところである。

家にしっかり者の妻マリー－アンヌがいてくれるのが、なんとも心強かった。彼女と結婚したのは二十四年前のことだ。シャルル－アンリには狩猟の趣味があり、パリの北のほうに狩猟に出た帰りには、モンマルトルのジュジエという農民の家に立ち寄り、ここで少し休息してから家に帰るのが習慣になっていた。マリー－アンヌはこの家の長女、非常に控えめだが堅実な女性で、少しは遊び慣れていたシャルル－アンリにとって、ひっそりと野に咲く花のような新鮮な魅力があった。自分のような職業の人間と普通の家の娘が結婚してくれるものだろうか、とさんざん思い悩んだ末にプロポーズしたのであった。一七六五年一月二十日、シャルル－アンリ・サンソンとマリー－アンヌ・ジュジエは、モンマルトルのサン－ピエール教会で結婚式を挙げた。新郎は二十六歳、新婦は三十二歳だった。死刑執行人が同業者以外の家の女性と結婚するのは非常に珍しいことであった。

一家がヌーヴ－サン－ジャン街の家に越してきたのは一七七八年のこと。

この年、三代目の父親ジャン－バチストが死亡し、シャルル－アンリは正式に死刑執行人に叙任されたわけだが、遺産分割のため、それまで住んでいた広大な邸宅を売却せざるを得なかった。ジャン＝バチストには男女合わせて十人の子供がいた。二代目シャルル・サンソンが一七〇八年に六千リーヴルで購入した地所が十万リーヴルで売れた。七十年がかりだが、サンソン家としては非常に効率のいい投資になった。とはいっても、相続人の数が多かったし、遺産相続というのは多額の出費を強いるものだから、シャルル＝アンリ個人にとっては少しもプラスにならなかった。どころか、年俸がきちんと支払われないこともあって、これから少しずつ経済状態が悪化してゆき、国王に謁見を願い出ることになったのであった。

このヌーヴ＝サン＝ジャン街の家は借家だが、借家とはいっても家賃は年に四千八百リーヴル、普通の工場労働者の年収の十倍以上にあたる。* 以前は払わないですんだ高額の家賃も経済状態を悪化させた原因の一つだが、それはともかくとして、前の家ほどではないにしても、こもかなり広い邸宅だったのである。引っ越してくるまでに二人の男の子、アンリ（一七六七年生まれ）とガブリエル（一七六九年生まれ）を授かっていた。

＊六代目アンリ＝クレマン・サンソンの手になる『サンソン家回想録』には、この地所を「買った」とある。最初は借りて、あとで買い取ったのだろう。

夫人が大所帯を取り仕切る

新しい家は、敷地の周囲が塀で囲まれていて、外の騒音が入ってこない、落ち着いた環境だった。仕事関係の部屋部屋と家族の住居とが完全に分離されていた。物置、馬小屋、車庫、薪小屋、洗濯場など付属する建物がいくつもあり、全部は使いきれないので一部の建物は人に貸していた。庭には、かなり広いスペースを確保した菜園と花壇もあった。マリー－アンヌが野菜を栽培していたが、もともとの家業だから手慣れたものだった。

マリー－アンヌが家全体を掌握し、大所帯を取り仕切っていた。

マリー－アンヌは非常に敬虔な女性で、結婚以来、サンソン家では家族・親戚の食客、住み込みの助手・使用人一同が朝と晩の二度、食堂に集まり、神に祈りをささげる習慣ができていた。この頃は、総勢十七人だった。食堂の壁に大きな象牙製のキリストの磔刑像が作りつけられていて、全員がその前に跪くと、マリー－アンヌがお祈りの言葉を唱え、一同そろって言うべき箇所では全員が声を唱和させるのだった。シャルル－アンリが、この一日二度のお祈りを欠かしたことは一度としてなかった。

仕事に関係する話が家庭内でなされることはけっしてなかった。食事は助手たちもまじえて一家そろって取るのが普通だったが、もし助手の一人がうっかりして少しでも仕事に関係のあるようなことを言うと、シャルル－アンリはその助手に厳しい視線を送って決まりを思い起こさせた。そして、何事もなかったように、別の話題が繰り広げられるのであった。

普通の平穏な時代には死刑はそうしょっちゅうあるものではないから、この頃は、シャルル－アンリは本業よりも副業の医業のほうが忙しかった。このヌーヴ－サン－ジャン街の家にも診療室、薬剤調合室、実験室が完備していた。

サンソンは思ったことだろう——ルイ十六世陛下の治世になって拷問が廃止され、死刑の判決も減少する傾向にある。世の文明は明らかに進歩しつつあり、刑の残虐さも少しずつ改善されつつある。人々の反発を考慮して、もう車裂きの刑の判決は出ないのではないか。世の中は流動化しつつあり、今後さまざまな改革がなされてゆくだろう。そしてさらに人間主義、人道主義の流れが強まっていけば、あるいは、死刑制度そのものがなくなることだってあり得るのではないか。ベッカリアというイタリアの法学者が死刑廃止を説く本を出したのは何年前のことだったろうか。そうなれば、ご先祖様に逆らうことなく医業に専念できるのだが……。

シャルル－アンリ・サンソンは、この家でフランス革命の勃発を迎えることになる。

第二章　ギロチン誕生の物語

フランス革命の勃発

バスチーユ監獄の陥落によってフランス革命の本格的幕が切って落とされたのは、シャルル－アンリ・サンソンがヴェルサイユ宮殿でルイ十六世に拝謁して三ヵ月後、一七八九年七月十四日のことであった。

ルイ十六世は毎日几帳面に日誌をつけていたが、七月十四日の項に「なにもなし」と書かれていたのは有名な話。「王家の命運を決する革命が勃発したその日に『なにもなし』とは、なんというおめでたさだ！」というわけで、これも後世、ルイ十六世の脳天気ぶり、愚鈍さの証しの一つとされることになるが、本当は、「なにもなし」という言葉は「今日は猟でなにも獲物がなかった」という意味で書き込まれたにすぎなかった。女性にはいっさい関心がなく、錠前作りと狩猟が趣味というルイ十六世にとっては、その日の猟でなにを仕留めたかは重要事項であり、なにも収穫がなかったとなれば、当然「なにもなし」と書くことになる。

そしてまた、ルイ十六世が「なにもなし」と書いたのは、事件を知る前のことだった。日誌に「なにもなし」と書き込んでベッドについたルイ十六世は、夜中、寝ているところを側近のリアンクール公爵に起こされ、事件を告げられたのだった。ルイ十六世は「なに、暴動か？」

と問い、これにリアンクール公爵は「いいえ、陛下、革命でございます」と答えたのであった。状況認識が甘かったことは否めない。

さらに、十月六日、折からの食糧不足の中、前日にパンを求めてヴェルサイユに行進してきた八千人のパリの女性たちによって、国王一家は強制的にパリに移された。

パリでは国王一家はチュイルリー宮殿に住むことになった。チュイルリーもかつてはれっきとした王宮であったが、ルイ十五世が幼少年期を過ごして以来七十年近くも王家から打ち捨てられたままになっていて、種々雑多な人々が勝手に住みつき、すっかり荒れ果てていた。住み慣れたヴェルサイユ宮殿を離れるのはルイ十六世にとってはなはだ気の進まないことであったろうが、その日の朝になって宮廷の移動を通告されたチュイルリー宮殿の管理責任者ミックにとっても、これは災難だった。ただちに住人を立ち退かせ、職人を大動員して故障箇所を修繕し、ペンキを塗り、蠟《ろう》を引き、絨毯を敷いたりして、なんとか王宮にふさわしい体裁を整えなければならなかったからである。

ルイ十六世の一行がヴェルサイユからパリに着くまでに七時間かかったので、この時間をフルに活用してミックも獅子奮迅の活躍をしたのだったが、それでもやはり間に合わなかった。王子の部屋のドアが開きっ放しになってどうしてもうまく閉まらず、やっと家具で押さえるといった有様だった。

ルイ十六世は、隣接するチュイルリー庭園を散歩することはできたが、なかば軟禁状態におかれた。しかし、これは恨みの念から出たものではまったくなく、国王を担いで革命をつぶそうとする反革命勢力から国王の身柄を守ろうとする気持ちからだった。王妃のマリー＝アントワネットのほうは遊び好きで浪費家ということで評判が非常に悪かったけれども、ルイ十六世は善き国王として人々の敬愛を集めていたし、国王自身も革命を支持すると明言していた。革命指導者たちの国王に対する態度も敬意あふれる非常に丁重なものであり、王家の予算額を決定する際には、国会は国王のもとに議員代表団を派遣し、「経済観念よりも、大いなる君主の玉座が大いなる栄光によって包まれることを要求する国家の尊厳のほうをより多く考慮して」、国王みずからが予算額を決定してくれるよう要請したのであった。

シャルル＝アンリ・サンソンも革命を待ち受けていた一人ではあったが、穏健な立憲君主制を理想とする彼のことだから、国王があまり住み心地のよくないチュイルリー宮殿に移されたことには胸を痛めたことだろう。

それでも、この革命初期のフランスほど、人々が楽観的な希望にあふれていた例もない。人々は、国王と国民が一丸となって力を合わせて頑張れば、これまでのさまざまな悪弊は是正され、すばらしい世の中になると信じきっていた。そのためなら、自分の命などどうなってもいいといった気持ちもあった。「自由に生きる、さもなくば、死」という標語には、そうした思いが込められている。人々の間には、みんなで協力し合って新しい世の中を築いていこうじゃないか、という連帯感、友愛の感情が満ちあふれていた。

サンソンは、これまで社会から除け者にされてきた自分たち死刑執行人の境遇も、これからの新しい正義の世では当然改善されるものと信じていた。八月二十六日に採択された『人権宣言』の第一条には「人間は自由なものとして生まれ、権利において平等である」とあり、また第六条には「すべての市民は法の目には平等であるから、あらゆる顕職、公的地位、役職に能力に応じてつくことができ、美徳と才能以外のいかなる差別もなされない」とある。

革命前は、国事に関わる重要事項は宮廷内で決定され、最後に国王が決裁した。革命後は、重要な問題は国会で論議されることになった。国会も国王一家のあとを追うようにしてパリに移り、チュイルリー宮殿内の一画に議場を構えた。憲法が制定されるのは二年後のことだが、この一七八九年秋の時点で、現代の議会制度の原形がほぼ出来上がっていた。

一七八九年の暮れ、国会では市民権を持つべき者とそうでない者についての討議が行なわれていた。どのような者に市民権を与え、どのような者に市民権を与えないか、という議論である。国会でまず問題にされたのは、非カトリック教徒とユダヤ人だった。前者には市民権を与え、後者については決定を留保することになった（一七九一年にユダヤ人にも完全な市民権が認められる）。そして、十二月二十三日には、死刑執行人に市民権を認めるべきかどうかが問題になった。サンソンがいちばん気にかけていたことが、国会の議題となったのである。サンソンは、それこそ目を皿のようにして、国会の動向を注視したことだろう。

クレルモン＝トネールとロベスピエールの両議員が「認めるべきだ」という意見を述べ、モーリー議員が反対意見を述べた。数年後にはフランス革命の最高指導者になるロベスピエールだが、この頃はまだ地方の弁護士出身の議員というだけで、まったく無名だった。クレルモン＝トネールは伯爵の称号を持つ貴族、モーリーは司祭だった。

クレルモン＝トネールは次のように演説した。

「法が命じることは、すべて善である。法は犯罪人の死を命じている。死刑執行人は法に従っているにすぎない。法がこの者に対して『これをしなさい。そして、もしお前がこれを実行するなら、お前は恥辱でおおわれることになろう』と言うのは馬鹿げたことである」

モーリー議員の反対意見はこうだった。

「判決執行人を市民の列から除外するのは偏見にもとづくものではまったくない。同胞を冷静に殺害する人間を目にして身を震わせるのは、善行の人にとってはごく当たり前なことである。法がこうした行為を命じていると人は言う。しかし、法は人に処刑人となることを命じているだろうか？」(1)

サンソンは、このモーリーの意見に憤慨し、モーリーに反論する意見書を国会に提出した。

モーリーの意見が通るようなら死刑執行人を辞職する、とまで言っている。この意見書の中で、サンソンが「国民が完全に生まれ変わり、正義が長い間軽んじられてきた権利を取り戻している時代においては」と語っているのが印象深い。

国会が十二月二十四日に採択した法令には、死刑執行人に市民権を認めるとは明記されていなかった。除外されてもいなかったが、そう解釈することも不可能ではなかった。そこでサンソンは、フランス全国の死刑執行人を代表して自分たちの主張を要望書にまとめた。自分たち死刑執行人にも市民権があるということを、集会に出て発言する権利もあるし選挙に立候補する権利だってあるということを、そして、あらゆる公職にもつけるのだということを法律的にはっきりさせてほしい、というものだった。モーリー議員に反論した意見書はごく短いものだが、この要望書は非常に長いものである。要望書の全文が『サンソン家回想録』の第三巻に収録されているが、十七頁にもまたがる。

要望書の半分以上は法律論に費やされているが、全体的な趣旨は、二十三年前にX侯爵夫人に訴えられたときの自己弁論と重なる部分も多い。しかし、姿勢は完全に違う。あのときは、守勢に立たざるを得なかった。しかし、革命の世になってから書かれたこの要望書では攻めの姿勢に転じている。X侯爵夫人のときは自分一人が被告人だったが、今回はフランス全土の死刑執行人を代表しているという意気込みもある。それはたとえば、「自然と法に由来する永遠不滅の権利を要求するため」「(死刑執行人の市民権を疑問視するのは) 判断力が偏見の専制的支配下に隷属している虚弱な精神の持ち主のみ」「われわれの答えは単純である——法の前においては、すべての人間は平等なのである」といった部分に表われている。また、死刑執行人が医者として絶望的な状態にある患者を数多く救ってきたこと (それも、しばしば無料で) や、貧しい人々の生活を援助してきたことにも言及されている。最後にシャルル-アンリ・サンソンの署名と並んで弟シャルルマーニュ・サンソンの署名があり、要望書が「王国のすべての同業者」から権限委譲を受けた上で書かれたものである旨が記されている。

X侯爵夫人に訴えられたときはだれも弁護を引き受けてくれる人がおらず、自分で弁論を行なわざるを得なかったが、今回はマトン・ド・ラ・ヴァレンヌという国会議員がサンソンの考えに賛同し、国会で要望書を読み上げてくれた。マトン・ド・ラ・ヴァレンヌは弁護士で、サンソンはすでに別の事件で世話になったことがあった。

国会ははっきりした結論を先送りし、この点についてはサンソンは不満だったが、積極的に支持してくれた議員が何人もいたし、いくつかの新聞が要望書を好意的に取り上げてもくれたので、大筋において自分たちの主張は認められたという感触は得た。

しかし、革命が起こってシャルル－アンリ・サンソンの運命をいちばん大きく変えることになるのは、なんといっても、ギロチンの登場である。

ギロチンも、もとはと言えば、《自由と平等》の理想が謳歌《おうか》される楽観的な雰囲気の中から生まれたものだった。

ギロチンがなぜ《自由と平等》の思想と関係があるのかというと、革命前は、同じ罪を犯して死刑の判決を受けても、貴族なら斬首、一般庶民なら絞首というふうに、身分によって処刑の仕方が違っていたからである。それは平等の原則に反する、人間の平等が宣言された以上は身分の如何《いかん》を問わず処刑方法は同一でなければならないという議論が、ギロチンが誕生するきっかけになった。

《自由と平等》の理想からいかにしてギロチンが導き出されるに至ったのかという、そのプロセスは後ほど少し詳しくたどりたいと思うのだが、ここであらかじめギロチンが誕生するまでの論理の筋道を簡単に図式化しておくと、次のようになる。

「刑罰は平等でなければならない」⇩「野蛮で暗黒な時代とは違って、人権が重んじられるこれからの新しい時代には、処刑方法は人道的なものでなければならない」⇩「首を切断するのが、もっとも苦痛少なくして迅速に死に至らしめる人道的な処刑方法である」⇩「しかし剣による斬首に失敗はつきもので、一太刀で首を刎ねないと死刑囚はもがき苦しむことになる」⇩

「ゆえに、機械で確実に首を切断せねばならない」⇩ギロチンが考案される

ギロチンというのは瞬時にして人間の首を断ち切るものであり、しかもその際、大量の血が噴出する。われわれ現代人にとっては、ギロチンは明らかに残虐なものである。しかし、ギロチンを構想した人々の意図が人道的なものだったことは疑いない。

なぜ、革命期の人々にはギロチンは人道的なものと思われたのだろうか？

それを理解するためには、革命前にどんな仕方で処刑がなされていたかを知る必要がある。

革命前の処刑、ダミアンの八つ裂きの刑

革命前には、いろいろな処刑方法があった。絞首刑、斬首刑、火炙りの刑、車裂きの刑、八つ裂きの刑等々。絞首刑、斬首刑、火炙りの刑がどんなものかについては大体のイメージが浮かぶことと思うので、車裂きの刑と八つ裂きの刑について簡単に補足しておきたい。

車裂きの刑については「ヴェルサイユ死刑囚解放事件」のところでも言及したが、鉄の棒で身体の各所を打ち砕いた後、水平に据えた馬車の車輪の上に死ぬまで放置するもので、死刑囚は長時間にわたって大変な苦しみを味わうことになる。なぜ馬車の車輪が使われるのかというと、昔は死刑囚を地面に直に寝かせて馬車で轢《ひ》き殺すというやり方があり、車裂きの刑はこの

系統を引くものだからである。

八つ裂きの刑というのは、死刑囚の四肢をそれぞれ四頭の馬につないで引っ張らせ、胴体から引きちぎるものである。この刑には、死刑囚の苦しみを増大させるために工夫された何種類かの体刑も付随し、死刑囚により多くの苦痛を与えるという点では、これ以上のものはない。

ここでは、八つ裂きの刑がどのように執行されたかという、その一例を取り上げてみたい。ルイ十五世暗殺未遂事件を起こしたダミアンの例である。

ダミアンの八つ裂きの刑が執行されたのは、革命が勃発する三十二年前、一七五七年三月二十八日のことである。この処刑には、シャルル－アンリ・サンソンも立ち会っている。病気の父親に代わって処刑台に立つようになって三年目、十八歳だった。

処刑執行の責任者はシャルル－アンリの叔父（父親の弟）ガブリエル・サンソンであった。宮殿の敷地内で犯された犯罪は、この叔父の管轄になっていた。シャルル－アンリは立会人として加わっていただけで、処刑にはいっさい関わっていないが、身近で目撃したこの八つ裂きの刑によって、処刑の恐ろしさというものを初めて身にしみて感じさせられた。ダミアンの処刑が行なわれたのはパリ市庁舎前のグレーヴ広場で、中世以来、セーヌ川沿いのこの広場がパリの主たる処刑場だった。

ダミアンがルイ十五世を襲ったのはこの年の一月であった。ヴェルサイユ宮殿の庭で国王が馬車に乗ろうとしたとき、物陰にひそんでいたダミアンが飛び出してきて短刀で国王を刺したのだった。寒い冬のことで、ルイ十五世は普通のコートの上にさらに毛皮のコートを着ていたため、ダミアンの短刀の切っ先が国王の脇腹に達したにすぎず、傷はかすり傷程度のものだった。しかし、神のごとき神聖な国王陛下の身体を傷つけたというので、死刑の中でももっとも重い八つ裂きの刑を宣告された。

当時、パリ高等法院は、王権に対して自分たちの特権を守ろうとして宮廷と紛争状態にあり、この問題が世上を騒がせていた。ダミアンは、高等法院の味方をして「国王に警告を与えるために刺した」と供述しているが、ダミアンに政治犯らしさはあまりない。ダミアンは下僕として勤めていた先で主人の金貨二百四十ルイ（五千七百六十リーヴル、ダミアンの年収の数十倍にあたる）を盗んで逃亡し、官憲の手が身辺に迫っていた。この頃の法律では、下僕が主人の金を盗んだ場合は死刑と決まっていたから、国王暗殺未遂事件を起こさなくとも、ダミアンはいずれは死刑になる身であった。窃盗だけなら適用される刑は絞首刑で、八つ裂きの刑よりもずっと楽に死ねるという違いがあるだけ。ダミアンは四十二歳、一児の父であった。

この頃は処刑当日、死刑囚は拷問にかけられるのが普通だった。共犯者の名前を自白させるためである。裁判所の構内に、囚人の叫び声が絶対に外部にもれないような拷問用の特別室があった。拷問には、かならず裁判官が立ち会った。というより、当時の裁判制度では、拷問は事件審理の最終段階として位置づけられていて、拷問は裁判官の指揮のもとに行なわれるのであった。裁判所は拷問のことを「拷問」とは言わず、「問い質し」と呼んでいた。拷問の間に裁判官たちは死刑囚を尋問し、その答えを調書に書き留めるのである。ダミアンの拷問を見学したシャルル－アンリは、調書を取る裁判長のペンを持つ手が震えるのを目撃している。裁判官も人の子、死刑囚が苦悶する姿に冷静な気持ちではいられなかったのである。

拷問にもいろいろなやり方があり、各地域の高等法院によって方法が違っていたが、パリ高等法院が採用していたのは水責めと足責めの二種類だった。水責めは、囚人を台の上に仰向けに寝かせて身動きできないように縛りつけ、口に漏斗をあてがって大量の水を流し込む。足責めは、上下各二枚組み、計四枚の樫の板からなる頑丈な足枷《あしかせ》で足を上下から挟み、二枚組みの板の間にハンマーを使って楔《くさび》を打ち込んでゆく。こうすると、直接足を挟む上下二枚の板の間隔が狭まり、足をぎりぎり締めつける。この足責めの拷問に使われるのが「ブロドカン（編み上げ靴）」という器具で、初代サンソンの妻マルグリットが父親のジュアンヌ親方に拷問にかけられたときに使用されたのがこれだった。

ダミアンは足責めの拷問にかけられた。楔は最高で八個まで打ち込まれることになっていたが、まだ楔の打ち込みが開始される前、足枷をかけられた時点で、ダミアンはあまりの痛さに大きな叫び声をあげ、気を失ってしまった。

拷問には五人の裁判官のほかに複数の医師も立ち会っていた。囚人が体力的にどこまで拷問に耐えられるかを判定するためである。医師が囚人の体力が限界に達したと判断すると、拷問は中断され、囚人が苦痛に耐えられるだけの十分な体力を回復したと判定された時点で拷問が再開されるのであった。医師が判断を誤り、死刑囚が拷問の間に死亡することもあった。拷問中に死刑囚を死亡させるのは当然ながら裁判所側の失態だが、この場合は死体に対して刑が執行された。死体を処刑場まで運び、死体をロープに吊したりしたのである。パリ高等法院で足責めの拷問が好んで用いられたのは、囚人に与える苦痛が大きい割には死亡させる危険が比較的低いからであった。

ダミアンが意識を回復するのを待って、拷問が開始された。

拷問を行なうのは、拷問専門の役人たちであり、死刑執行人は、拷問に立ち会うことはあっても、拷問にタッチすることはけっしてなかった。

八個用意されていた楔の最初の一個が打ち込まれただけで、ダミアンはあまりの痛みに耐えきれずに一人の共犯者の名前をあげた。さっそく共犯者逮捕の手続きがとられたが、これは痛みを逃れようとして苦しまぎれに言ったにすぎず、彼には共犯者などいなかったのである。それでも、「さらに共犯者の名を」ということで、二個目、三個目と楔が打ち込まれていった。

結局、ダミアンに対する拷問は最後まで続行され、八個すべての楔が打ち込まれたが、ダミアンは最初に口走った共犯者の名前を喘《あえ》ぎ喘ぎ繰り返すだけだった。二時間十五分にわたる拷問であった。足の骨が完全に圧《お》し砕かれ、ダミアンの足は血まみれの残骸と化していた。自分で歩ける状態ではないので、ダミアンは数人がかりで運び出された。貴族が斬首刑に処せられ

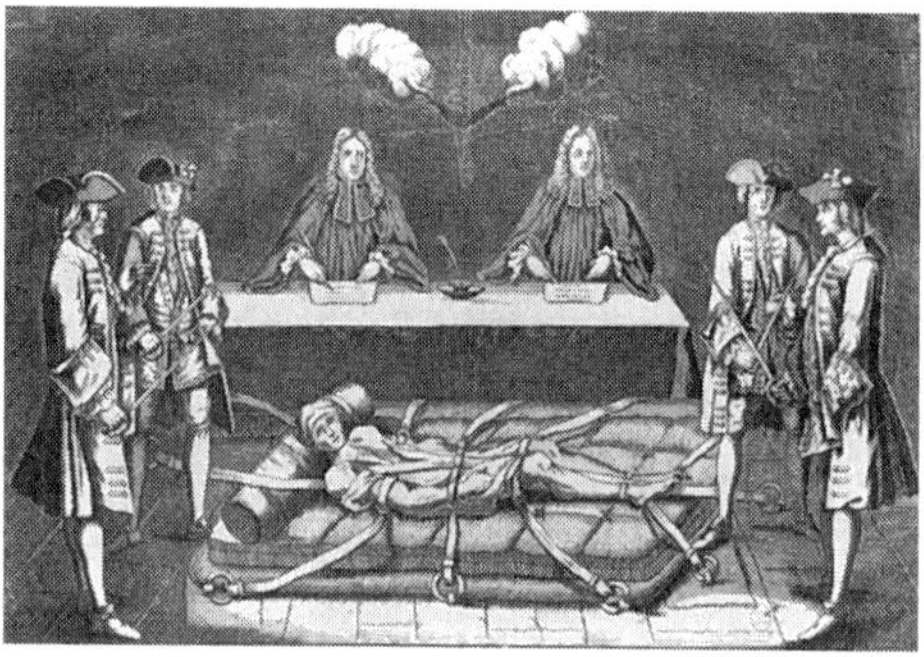

裁判官の尋問を受けるダミアン

る場合は別だが、革命前は、処刑台に連れてこられたときには、死刑囚はダミアンと同様、放っておいても遅かれ早かれいずれは死亡するような状態になっていることがよくあった。

　処刑台に連行される途中、死刑囚は教会の前で罪を悔いる告白をするように強制されるのが普通だった。この行為は「アマンド・オノラーブル」（公然告白の刑）と呼ばれていたが、ダミアンの場合はノートルダム寺院の前に連れていかれた。ダミアンは寺院の入り口前で「アマンド・オノラーブル」を行なう姿勢を取るために跪こうとしたが、拷問で足の骨が砕かれていたために体がきかず、そのまま前のめりにつんのめって、顔面を石畳にしたたかに打ちつけた。このときダミアンがあげた悲鳴は、

セーヌの川向こうにまで聞こえたのではないかとシャルル－アンリが思ったほど、けたたましいものだった。

夕方五時、ダミアンは処刑場のグレーヴ広場に到着し、処刑台の上に運ばれた。広場は群衆でいっぱいで、広場を囲む窓という窓には人が鈴なりだった。処刑台の周りには防護用の柵が設けられ、大勢の兵士が警備についていた。処刑台の上には焜炉《こんろ》が置かれ、硫黄の燃える独特の臭いが辺りにたちこめていた。

まず、ダミアンの右腕が鉄の棒に固定された。ガブリエル・サンソンが焜炉の火を近づけ、ダミアンの右腕を焼きにかかった。神のごとき国王陛下を傷つけるという大それた罪を犯した右腕をまず罰するのである。腕を火にかけられたダミアンは恐ろしい叫び声をあげて身をよじったが、最初の苦痛が去ったあとは、歯をガチガチ言わせながら自分の右腕が燃えるのをじっと眺めていた。

次にガブリエルの助手が鉄製のやっとこでダミアンの体の数ヵ所を引きちぎり、それぞれの傷口に順々に、沸騰した油、燃える松ヤニ、ドロドロになった硫黄、溶けた鉛を注ぎ込んだ。これらの儀式は八つ裂きの刑に付随するもので、判決文にもいちいちこと細かく指示されていた。

このあと、ダミアンは処刑台から降ろされ、処刑台近くの地面に水平に据えられたX字型の十字架に縛りつけられた。ここからが本番なのであった。

ダミアンの両手両足がそれぞれ四頭の馬の馬具に結びつけられた。それから馬に笞が当てられ、馬はそれぞれの方向に突進した。四頭の馬は蹄《ひづめ》を滑らせるほどに力を込めていたが、人間の体というのは意外と頑丈なもので、三度繰り返しても手足はちぎれず、ただ途方もなくだらりと伸びきっただけだった。ダミアンはまだ生きており、激しい息をしていた。

手足がちぎれそうにもないので、死刑執行人たちはどうしていいかわからず、途方にくれていた。それを見て、立ち会いの医師がすぐ正面のパリ市庁舎に走った。医師は市庁舎に詰めていた判事たちに事情を説明し、太い筋を刃物で断ち切る許可を求め、同意を得た。

しかし、死刑執行人たちは刃物を持っていなかった。そこで、たまたま傍にあった斧《おの》を使って、脇の下と股のつけ根に切り込みを入れた。それから再度、馬に笞を入れると、片足がちぎれ、ついでもう一本の足、片腕がちぎれた。残り一本の腕と馬が奮闘しているときに、ダミアンの死亡が確認された。ダミアンのばらばらの遺骸は傍らの火の中に投げ込まれたが、このとき、処刑場に着いたときは褐色だったダミアンの髪の毛が真っ白になっているのに死刑執行人たちは気がついた。

八つ裂きの刑は国王殺害犯などの最重罪犯に対して適用されるもので、一六一〇年に国王アンリ四世を殺害したラヴァイヤック以来、百四十数年ぶりのことであった。当時の人々にとっても八つ裂きの刑は衝撃的なものであり、この処刑を指揮したガブリエル・サンソン自身が刑のあまりの残虐さにショックを受けて死刑執行人の仕事をつづけることができなくなり、これを最後に死刑執行人を辞職したほどである。このダミアンの処刑がフランスで最後の八つ裂きの刑になった。

八つ裂きの刑ほどではなくても、車裂きの刑もかなり残虐なものである。革命期の人々はこうした残虐な処刑を実際に目にした人たちである。となれば、彼らがもっとも苦痛少なくして人を死に至らしめる方法を真剣に考え、自分たちの意図を人道的なものと信じて疑わなかったという、その心理情況が幾分かは理解できるのではなかろうか。

公開処刑は大衆娯楽でもあった

ところで、こうした残虐な処刑に心を痛めていた人ももちろん多かったのだが、もう一面においては、処刑が当時の人々にとって一種の娯楽、見世物になっていたということを指摘しておく必要もあるだろう。

国家の側が処刑を公開していたのは、見せしめのためだった。「罪を犯すと、こういうことになる。だから秩序を乱すようなことはするな」という教訓を人々に与えたかったのである。

しかし、一般の人々は、国家のこのような願望をほとんど意に介していなかった。人々にとっては、処刑を見物することは、スポーツ観戦や観劇と同じように、一種の気晴らしでしかなかった。半分お祭り気分で処刑台の周囲に詰めかけてきた人々の中を、事件について書かれたパンフレットを売る人、食べ物や飲み物を売る人が声を張り上げて動き回っていたのであり、人々は友人知人とわいわい騒ぎながら、今か今かと処刑がはじまるのを待ち受けていたのであった。あまりに多くの観衆が集まりすぎて処刑台の周囲で押し合い圧し合いになり、死者が出ることもあった。なんのことはない、他人が死ぬのを見物にきたというのに、自分のほうが先にあの世行きになってしまったのである。そして処刑が開始されると、これでもか、これでもかと次々に加えられる残虐行為を人々は固唾《かたず》を呑んで見守るのであった。

残虐の限りがつくされたダミアンの処刑についても事情は同じであり、処刑場のグレーヴ広場を取り囲む建物の窓には法外な値段がつき、着飾った貴婦人たちが歓談しながら特等席から処刑の模様を見物していた。われわれ現代人の感覚からすれば信じられないことだが、こうした貴婦人の中には、ダミアンの処刑を見物しながら性行為にふけっていた人もいたことを、カサノヴァが『回想録』に書き残している。これは相手のあることであり、仕掛けたのも男のほうなのだから、男のほうに責任を帰すべきだろう。この男は、窓枠に肘をついて処刑を見物する×××夫人の後ろにぴったりと張りつき、スカートをまくり上げて延々二時間もの間励んだのであった。すぐ横に、この夫人の姪とカサノヴァがいたというのに、である。夫人と並んで窓に肘をついていた姪は処刑に気を取られていたが、カサノヴァはちゃんと気づいていた。稀代の色事師として知られるカサノヴァも、この男にはあきれている。

剣による斬首は難しい

革命期の人々は、斬首がもっとも苦痛少なくして迅速に人を死に至らしめる人道的な処刑方法だと考えたのだが、剣で人間の首を斬るというのは、とてつもなく難しいことなのである。まず、剣の道を極めていなければならない。しかし、どんなに剣の道に熟達していても、それだけで斬首刑を執行できるものではない。死刑によって犯罪人を死に至らしめることが正義にかない、社会のためになるという確信がなければ、死刑囚の首を斬れるものではない。死刑執行人は、自分の行為の正当性を繰り返し繰り返し自分に言い聞かせ、自分を納得させなければならなかった。

自分の行為の正当性に対する疑念はいっさいなく、剣の技倆《ぎりよう》にもまったく問題がないとしよう。それでも、やはり、処刑台の上で人の首を断ち切るのは非常に難しいのである。

たとえば、たまたま死刑囚が若い女性だったりして、それで死刑執行人の心に少しでも動揺が生じれば、もうそれだけで刑の執行はうまくいかなくなる。また、処刑当日、たまたま風邪をひいていたりして体の具合が悪く、気力が充実せず、精神を集中できない場合もある。このような場合も、剣による死刑執行はうまくいかない。首が完全に固定されていたとしても斬首は難しいものなのだが、普通、死刑囚は多かれ少なかれ体を動かすものだ。死刑執行人は死刑囚の体の動きを見極め、ここぞというタイミングを狙って剣を振り下ろす。しかし、気持ちが動揺していたり、気力が充実していなかったりすると、このタイミングがうまく取れず、しそんじる。剣が頭にあたったり、肩にあたったり、顎にあたったり、首を傷つけただけになったりする。死刑囚は処刑台の上でもがき苦しむことになるが、こうなると収拾がつかなくなる場合もある。処刑人が一太刀で首を打ち落とすと群衆はその技倆に喝采を送るのだが、その不手際によって死刑囚が処刑台の上でのたうち回ることになると、ついさっきまでは死刑囚を嘲笑《ちょうしょう》していた群衆が、今度は一転して死刑囚に同情し、不器用な処刑人に怒るのである。最悪の場合は、群衆が処刑人に襲いかかることもある。サンソン家の人々が死刑執行人になる前のことだが、こうして処刑スタッフが群衆に殺された例がある。

人を死刑にするというのは、死刑執行人にとっても命がけなのである。

読者の中には、日本では斬首に失敗したという話はあまり聞かない、と疑問を感じる方もおられることだろう。綱淵謙錠『斬《ざん》』によると、日本でも斬首に失敗した例はけっこうあるということだが、たしかに日本では、斬首の失敗はフランスほど問題にはならなかった。

日本の斬首とフランスの斬首とでは、根本的に異なる点がいくつかある。

日本で斬首刑に処せられたのは多くは一般庶民であり、高貴な人、つまり、武士階級には切腹という手段があった（武士が斬首刑に処せられることも、もちろんあった）。そして、日本の斬首刑執行の際には、普通は「押さえ役」というのが三人ほどついていて、死刑囚の腕を両側から引っ張ったり、膝をおろした死刑囚の足の親指を後ろから引っ張ったりして、死刑囚の首が前に突き出たまま動かないようにした上で刑が執行された。つまり、日本の斬首刑は、「押さえ役」なしで執行されることもあったけれども、通常は四人がかりで行なわれたのである。

これに対し、フランスの斬首刑は常に死刑執行人一人だけで行なわれた。フランスでは一般庶民が斬首刑になることは絶対になく、斬首刑を受けるのは貴族だけなのだから、高貴な人間なら高貴な人間らしく、覚悟を決めてみずから首を差し出すべきものと考えられていたので、ほかの人間が死刑囚の体を押さえつけるということはしなかった。つまり、死刑囚の人格が尊重されたのである。

斬首刑を受ける死刑囚は跪いた姿勢を取るのが普通だったが、シャルル－アンリ・サンソンは、立ったままの死刑囚に斬首刑を執行したこともある。あとでふれるラ・バール騎士の場合で、ラ・バール騎士は自分の無実を確信していたので、悔い改めの気持ちを示す姿勢を拒否し、立ったままで刑が執行されることを望んだ。立ったままの死刑囚に斬首刑を執行するのはきわめて異例なことだったが、シャルル－アンリはラ・バール騎士の要望を受け入れた。フランスでは、これほどに、斬首刑を受ける人間の人格が尊重されたのである。

そして、フランスでは、絞首刑になった者の家族は汚辱につつまれるが、斬首刑になった者の家族が不名誉におおわれることはなかった。日本人から見ればどっちでも同じようなものだが、これはお国柄というものだろう。フランス人には、日本ではなぜ切腹が名誉ある死とされたのかわからないのと同じである。日本人はギロチンの残虐さに驚くが、フランス人は切腹の残虐さに目をおおう(2)。

ところで、日本で四人がかりで行なわれた斬首の失敗がはっきりと記録に残っている例がある。明治十二年一月に斬首刑にかけられた高橋お伝の場合である。執行したのは九代目山田浅右衛門（朝右衛門とも書く）であった。九代目浅右衛門は少年の頃から天稟《てんぴん》を謳われた居合い抜きの達人で、「斬首の名人」と言われた男だが、このときは、お伝はふるいつきたくなるような妖艶な美女だという風評に影響されて浅右衛門の心にわずかながらも隙が生じていた上に、処刑の現場でお伝が極度に興奮して激しく抵抗するなどの悪条件が重なった。二度斬りそこない、「押さえ役」の手を振りきって暴れまくるお伝を最後は地面に圧《お》し伏せ、首に刀をあてがう「押し斬り」という方法を用いざるを得なかった(3)。

山田家もサンソン家と同じように代々死刑執行人を世襲で受け継いできた家系だが、山田家の人々の場合は執行する刑は斬首だけであり、いわば、斬首のプロだった。剣に対する思い入れも深く、普段の剣の修行も非常に厳しいものだった。サンソン家の人々に限らず、フランスの死刑執行人は斬首のプロではない。斬首刑以外に絞首刑や車裂きの刑も執行しなければならなかったし、笞打ちや焼き鏝の刑までも担当しなければならなかった。だから、斬首に関しては、日本とフランスとでは、死刑執行人の腕にかなりの差があったことだろう。

名人と言われる斬首のプロが四人がかりでやっても失敗することがあるのだから、一人でやって失敗するのは仕方がないのではなかろうか。

斬首が一度で成功しなかった世界史的にいちばん有名な例は、スコットランド女王メアリー・スチュアートの処刑であろう。エリザベス一世のライバルであったこの女性の場合は、台に頭をのせ、斧で首を断ち切るという方式だったが、一度目は狙いがはずれて斧が後頭部にあたり、二度目で首の切り離しに成功した。それでも、細い腱が一本残り、斧を鋸《のこぎり》のように使って断ち切らなければならなかった[4]。

ラリー－トランダル将軍の処刑に失敗

斬首に関しては、シャルル－アンリにも苦い失敗の思い出がある。ラリー－トランダル将軍の処刑である。一七六六年五月のことで、シャルル－アンリは二十七歳だった。アンリ－クレマン・サンソンの『サンソン家回想録』に拠って、順を追って見ていこう。

トマ－アルチュール・ド・ラリー－トランダル伯爵は、輝かしい軍歴を持つ老将軍だった。東インド軍総司令官を歴任したラリー－トランダル将軍は、フランスがインドでイギリスとの植民地獲得競争に敗れた責任を問われ、「国王の利益を裏切った罪」により死刑の判決を受けた。インドの植民地が失われたことに対する国民の不満が背景にあったけれども、国内政治の派閥抗争の犠牲になった観が強く、きわめて不当な判決だった。後に、息子の努力によって名誉回復がなされる（ヴォルテールの支援もあった）。

ラリー－トランダル将軍の処刑は、これまでと同じく、脳卒中の後遺症で右半身不随になっていたジャン－バチストの代理で、シャルル－アンリが執行することになっていた。いつもはジャン－バチストは田舎の別荘で隠居生活をし、仕事は息子に任せっぱなしにしていたが、この処刑はぜひとも自分の手で執行したいと、不自由な体をおしてパリに出てきた。というのも、ジャン－バチストはラリー－トランダル将軍とは特別の縁があったからである。

話は二十八年前、ジャン－バチストの結婚式の夜にさかのぼる。

この夜、パリ郊外のサンソン家では近親縁者を集めて、にぎやかなパーティーが開かれていた。人々は酒を酌み交わし、楽器の奏でる音楽に合わせてダンスをしていた。野中の一軒家、辺りにはほかに家がないので、なんの遠慮もいらなかった。そのとき、サンソン家の門を叩く者があった。

　ジャン－バチストが出てみると、貴族とおぼしき三人の若い男が立っていた。この日は雨が降り、暗闇の中、泥濘《ぬかるみ》に足を取られて転んだとみえ、服が汚れている者もいた。彼らは道に迷い、遠くから見かけたサンソン家の窓明かりを頼りに、地獄で仏の心境でサンソン家にたどり着いたのであった。貴族たちは、仲間に入れてはもらえまいかとジャン－バチストに頼んだ。ここが処刑人の家であることなど、彼らの念頭にはまったくなかった。ジャン－バチストは、結婚祝いに加わってもらうのは大変名誉なことだが、あなた方が仲間になろうとしている人たちはあなた方にふさわしい人たちではないから考え直したらいかがか、と答えた。どうしてもと言うので、ジャン－バチストは男たちを家に招き入れた。美しい女性たちがいたこともあって、若い貴族たちは盛んに冗談を言っては座を盛り上げ、夜通し酒とダンスに打ち興じた。

　朝になって男たちが帰ろうとしていたとき、ジャン－バチストは「この家の主人の名前と職業を知っておくのも面白いのではないですか」と声をかけてみた。若者たちは「もちろん、そう願いたい」と答え、口々にパーティーの礼を言った。そこでジャン－バチストは自分の名前と職業を明かし、「あなた方がともに楽しい一夜を過ごした男たちの大部分も、私と同じ職業についていています」とつけ加えた。

これを聞いて二人の若者は明らかな狼狽《ろうばい》の色を見せたが、残りのもう一人の若者は大きな声で笑い出した。

「これは幸先のいい偶然です。ずっと前から、死刑執行人と知り合いになりたいと思っていました。こんな愉快な情況で知り合いになるという名誉に恵まれ、とても嬉しいです」

この若者が、ラリー＝トランダル伯爵だった。伯爵は、仕事道具を見せていただければ大変ありがたいのですが、と言った。

ジャン＝バチストはただちに三人を道具部屋に案内した。ほかの二人の若者はいろいろな処刑道具の奇妙な形に驚いていたが、ラリー＝トランダルの目は数本の「正義の剣」に釘付けになり、そこから離れなかった。ジャン＝バチストはその異様な関心ぶりに驚いたが、剣置き台から一振りの剣を取り出し、ラリー＝トランダルに持たせてやった。刃渡りが四ピエ（約百三十センチ）、柄の長さは十プス（約二十七センチ）、剣の真ん中辺に「正義」という言葉がラテン語で刻み込まれていた。ラリー＝トランダルはしばらくじっと剣を眺めていたが、やがて刃を指でなぞり、それから両手で柄を握りしめ、剣を構えて振ってみせた。その太刀捌《さば》きはジャン＝バチストも思わず見惚れるほど見事なものだった。

「このような剣で、首をかならず一撃で落とせると確信できるものでしょうか？」

「もちろん」とジャン＝バチストは笑いながら答えた。「貴人の首を刎ねるときは、私は助手にやらせることは絶対にしませんので、もしあなたがそのような運命の巡り合わせになったときは、けっしてあなたを苦しめることはしません。かならず一撃ですませると、今日からでもお約束しますよ」

この話はヴェルサイユの宮廷でもかなり話題になったものだった。冗談で言ったことが、現実のものとなってしまったのであった。

笑い話のつもりで言ったこととはいえ、約束は約束である。ジャン－バチストは三十年近くも前のこの約束を果たしたいと思ってパリに出てきたのであった。

シャルル－アンリは父親を深く尊敬してはいたが、この話を持ち出されたときは、顔をこわばらせた。父親の状態はたしかに前よりはかなりよくなっているとはいっても、もはや父親にかつての力強さはなかった。しかし、父親を納得させるのはなかなか大変だった。ジャン－バチストは、かならずシャルル－アンリみずからが死刑執行にあたること、処刑の全体的指揮は自分が取ることを条件に息子に譲歩した。

ラリー－トランダルのほうでも、ジャン－バチスト・サンソンのことをよく覚えていた。処刑台の上でジャン－バチストはラリー－トランダルに自分の細った腕、皺の寄った震える手を見せ、処刑台の端のほうに立っている息子を指し示しながら言った。

「われわれの年では、死に方は心得ている、というだけです。あなたとのお約束は、私の手よりも力強く、確固とした手によって果たされましょう」

ラリー‐トランダルは感謝の印に頷き、跪いた。

シャルル‐アンリは剣を振り上げ、三度空中で円を描いたあと、老将軍の首めがけて打ち下ろした。しかし、通常は切っておくべき髪の毛を切らずに上に上げていただけだったため、刃が髪の上を滑り、顎にあたった。濡れ衣を着せられたとひどく憤っていたラリー‐トランダルはこの処刑当日も興奮気味だったから、そうした老将軍の様子がシャルル‐アンリの手元を微妙に狂わせたのかもしれない。ラリー‐トランダルは剣の衝撃で前のめりに転んだが、すぐに起き上がった。ラリー‐トランダルは正面に立っていたジャン‐バチストを怒りと非難のまじった悲痛な表情で見つめた。老処刑人は間髪を入れずに息子のところに飛んできて、血がついた剣を息子の手から奪い取った。ジャン‐バチストの振り下ろす剣が空気を裂き、ラリー‐トランダルの首が処刑台の上に転がった。

群衆が若い処刑人の不手際をとがめる声を発する間もない、一瞬の出来事だった。

この一撃にすべてのエネルギーを使い果たしたジャン‐バチストは、剣を取り落とし、息子の腕の中にくずおれた。これが、ジャン‐バチストが処刑台にあがる最後の機会になった。

処刑失敗はそれだけでも大変な恥さらしだが、老いた病身の父に余計な苦労をさせてしまったという悔恨が長い間シャルル‐アンリの心を苦しめた。ラリー‐トランダル将軍の処刑失敗は、ほかの失敗以上につらい思い出として彼の心に残ることになる。

しかし、シャルル－アンリはしょっちゅうヘマばかりやっていたわけではない。彼の名誉回復のために、ラリー－トランダル将軍処刑の二ヵ月後に執行されたラ・バール騎士の処刑にもふれておかなければなるまい。先ほど、立った姿勢のままで斬首刑が執行された例にあげた、その人物である。

ラ・バール騎士は北フランスの都市、アブヴィルの名門の出で、二十歳、罪状は「聖像破壊および瀆神《とくしん》の罪」。今なら「器物損壊罪」にすぎず、死刑になることは絶対にないが、この頃はカトリック教会が絶大な力を持っていた。しかも、聖像を傷つけた犯人が本当に彼であるのかどうか非常に疑わしく、アブヴィルの有力者間の派閥抗争の犠牲になったというのがもっぱらの噂であった。町の人々の多くは、アブヴィル下級裁判所が下した判決がこのまま執行されることはなく、上級裁判所で破棄されるものと思っていた。ところが、パリ高等法院が教会勢力を慮《おもんぱか》ってラ・バール騎士の控訴を棄却したため、死刑が確定してしまったのであった（彼の無実も、後にヴォルテールによって晴らされている）。

アブヴィルはサンソン家の先祖の出身地であり、サンソン家初代死刑執行人シャルル・サンソン・ド・ロンヴァルは最初この地域一帯の死刑執行人となり、その後「ムッシュー・ド・パリ」になったのであった。このときの当地の死刑執行人には斬首刑を執行した経験がなかったため、シャルル－アンリがパリから出張することになった。

処刑の日の早朝、シャルル－アンリはラ・バール騎士から面会を求められた。迎えにきた牢番の話によると、サンソンがパリから到着したことを知って以来、ラ・バール騎士は何度となくサンソンとの会見を裁判所に願い出たのだがそのたびに却下され、今はの際《きわ》になってやっと許可が出たのだという。

ラ・バール騎士は市庁舎の一室に収監されていた。二十歳の青年だということはシャルル－アンリも事前に知らされていたが、まるで女の子のようなきれいな顔をしており、まだ十代の少年にしか見えなかった。

ラ・バール騎士は、シャルル－アンリがラリー－トランダル将軍の処刑で不手際を見せたことを知っていた。これが会見を求めた理由だった。朝早く起こしてしまったことを詫びたあと、本題に入った。

「あなたはあの方の顔をひどく傷つけてしまいましたよね。実は、死に臨んで私が恐れるのはそのことだけです。私は自惚れ屋のほうでして、悪くは言われなかった私のかわいそうな首が、あとで見る人を怖がらせるような結果になることには耐えられないのです」

シャルル－アンリは苦い失敗を指摘されて狼狽してしまったが、あれは事故であって、自分の技倆不足というよりも、ラリー－トランダル将軍が非常に興奮していて体を動かしたことのほうが原因だったと弁解した。そして、斬首がうまくゆくには、剣を操る人間の技倆と気力と同じくらい、犠牲となる人間の勇気と確固さが必要とされるのだと説明した。

シャルル－アンリは、気持ちが動揺していたため、口ごもったりしてうまくは話せなかったのだが、それは苦い失敗を指摘されたからだけではなかった。普通は死刑囚が避けたがる話題について冷静に話すラ・バール騎士の勇敢さに感動したからでもあった。シャルル－アンリは、あなたが無益な苦痛を味わうことはないだろうし、顔に傷ができることもないだろう、とラ・バール騎士に請け合った。

このラ・バール騎士の処刑では、シャルル－アンリはきっちりと約束を果たした。立った姿勢のままという難しい情況だったが、一撃で首を断ち切り、しかも、斬首直後は首が離れずについているという名人技を見せた。

このラ・バール騎士の処刑が、次のような名人処刑人伝説の元になったようだ。


処刑台の上で、ある貴族の死刑囚が、合図をするまでは打たないように処刑人に頼み、処刑人もこれを了承した。心の準備が整った死刑囚は、処刑に取りかかってくれるよう処刑人に合図を送った。しかし、何も起こらない。死刑囚は処刑人が合図に気がつかなかったのだと思って、もう一度合図を送った。すると、処刑人が答えて言うには、「閣下、も

う終わりましたよ。体を揺すってみてください」。で、貴族が体を揺すってみると、首が落ちた。(5)

これはあくまでも伝説であって、実際にこんなことが起こることはない。むしろ、死刑執行人は失敗の不安にとりつかれるほうが普通だった。

ギヨタンの登場

ギロチン誕生の物語は、ギヨタンの登場からはじまる。

一七八九年十月十日、ギヨタンという国会議員が、同一の犯罪は同一の刑で処罰されるべき旨の意見書を国会に提出した。これまでは同じ罪で死刑の判決を受けても、貴族と一般庶民とでは処刑の仕方が違っていた。これは人間の平等の原則に反する、というのがギヨタンの趣旨だった。「法の前の平等」の主張の一環である。ギヨタンは高名な医師で、五十一歳だった。

次いで、十二月一日、ギヨタンは国会の演壇に登り、これまでの処刑方法は非常に残虐なものであって、とうてい容認できるものではない、人権が尊重されるこれからの世の中では、処刑は人道主義的なものでなければならない、と演説した。人道主義的処刑とは、死刑囚に無益な苦痛を与えることなく、迅速、かつ、確実に死に至らしめる処刑である。それには、機械によって首を切断するのが最良の方法である、とギヨタンはつづけた。

首を切断する機械がかつて存在し、イタリア、ドイツ、イギリスで使用されていたことはかなり知られていたし（フランスでも使われたことがある）、機械による斬首の模様を描いた古い版画なども残っていた。だから、ギヨタンは、そうした機械を改良し、フランスに導入することを提案したのだった。

ただ、なんとか処刑方法を人道的なものにしたいといつも思いめぐらし、そればかりに気を取られていたギヨタンは、ついつい熱に走りすぎてしまった。ギヨタンは非常に立派な医者であり、人類愛にあふれる崇高な考えの持ち主でもあったのだが、少々軽率なところもあったようだ。

ギヨタンは国会の演壇から勢い込んで言い放った――

「私の機械をもってすれば、みなさんの首を瞬く間に落としてみせられるし、しかも、みなさんはいかなる苦痛も感じることはありません」「首の辺りが少しばかりひんやりするだけです」

こうしたギヨタンの言葉に、議場からは大きな笑い声が起こった。ギヨタンは驚いたことだろう。人道的な処刑という大事な話をしているのに、なぜ笑うのか、と。

ギヨタンは、患者の面倒をみるだけでなく、人類の面倒をもみようとしたのだが、人の命を救うべき医者が、人を死なせることに関わり合おうとするところに、そもそもおかしさがあった。これは、死刑執行人が医者を副業にしていたのと、ちょうど逆の関係である。

巷《ちまた》には、ギヨタンの演説のパロディーも流布した――「親愛なる同胞諸君、私の手の中で実にたくさんの患者が死にましたので、あの世へ人を送る手段に関しましては、私はもっとも権威ある人間の一人であると自慢することができます……」(6)

真剣な思いで言ったことが揶揄《やゆ》嘲弄の対象になってしまうとは、ギヨタンにとって大変気の毒なことだった。ギヨタンは非常に心やさしい人物で、車裂きの刑にかけられた死刑囚の呻き声を聞いたり、絞首台にぶら下がったまま放置されて好奇の目にさらされている死体を見たりするたびに、野蛮な処刑をなんとかできないものかと、いつもいつも考えてきた。なにしろ、ギヨタンの母親が、車裂きにかけられた死刑囚の叫び声を聞いたため、そのショックでギヨタンは早く生まれたと言われるほど、処刑とギヨタンとの関わりは深いのである。(7)

一七九〇年一月二十一日、国会はギヨタンの提案にもとづき、「同じ種類の犯罪は、犯人の地位身分にかかわらず、同じ種類の刑によって罰せられる」と決定したが、首を瞬時にして断ち切る機械に対しては人々の間に抵抗感があり、受け入れられるまでに二年以上も時間がかかることになる。死刑を絞首刑に統一してはどうかという意見もあった。機械で首を断ち切るのも斬首の一種なのだから、一般庶民の死刑囚を格上げすることになる、それよりも絞首刑に統一して貴族の死刑囚を格下げすべきだという、今からみれば珍妙な意見が新聞をにぎわせたりもした。

死刑制度廃止論議からギロチン製造へ

イタリアの法学者ベッカリアが一七六四年に『犯罪と刑罰』の中で死刑廃止を訴えて以来、死刑廃止の考えはある程度ヨーロッパに広まっていた。フランスの国会でも、新しい正義の時代、自由と平等の時代を迎えたのだから、この際、死刑制度そのものを廃止しようという動きはあった。処刑方法を人道主義的なものにするのももちろんけっこうだが、死刑制度そのものを廃止するほうがはるかにずっと人道主義にかなうはずだ、とこの人々は考える。

その一人、ロベスピエールは、一七九一年五月三十日、国会で「フランス人の法体系から血の法律を消し去ること」を求め、死刑制度の廃止を提案した。

ロベスピエールは言っている。

私は次の二点について証明したい。①死刑は本質的に正義に反する②死刑は犯罪抑止効果がいちばん高い刑罰ではなく、犯罪を抑止するよりも犯罪を増大させる効果のほうがずっと大きい。（中略）社会が断罪する被告人は、社会にとってせいぜいのところ、打ち負かされた無力な敵でしかない。被告人は、大人を前にした子供以上に、社会に対して弱い存在である。それゆえに、真実と正義の目には、社会が大がかりな装置を使って命じる死の光景は卑怯な殺人でしかないし、個人によってではなく、国民全体によって合法的な装いのもとに犯される重々しい犯罪でしかない。

ロベスピエール以外にも死刑制度の廃止を訴えた議員はいた。しかし、ロベスピエールの雄弁に心を動かされた議員はあまり多くはなく、死刑廃止の提案は否決された。

このとき死刑制度が廃止されていれば、後の恐怖政治はなかったはずだから、ずいぶんとたくさんの人が死なずにすんだはずである。シャルル－アンリの孫にあたるアンリ－クレマンは『サンソン家回想録』の中で述べている――「この日、投票した国会議員の中に、そうとは知らずに自分の首を投票箱に投げ込んだ者が何人いたことだろうか？」

実は、この頃、死刑制度の廃止を熱心に訴えていた人物がもう一人いた。「人民の友」マラーである。ロベスピエール、ダントンと並んでフランス革命の三大指導者となるマラーも、この頃はただのジャーナリストにすぎなかった。革命初期に熱心に死刑制度の廃止を訴えたこの二人の人物が、後に、恐怖政治の責任者として、もっとも血にまみれた人間とされるとは、なんたる歴史の皮肉であろうか。

死刑制度廃止の提案が否決されたため、できるだけ人道的な処刑方法に、という方向に議論が進むことになった。これは、拷問の禁止、残虐な刑の廃止といった、ルイ十六世が革命前から推し進めてきた改革の延長線上に位置づけられる。

斬首がもっとも迅速で苦痛の少ない人道的処刑方法だということで、国会は一七九一年六月三日、刑法第三条を採択、「死刑囚はすべて斬首されるものとする」と決定した。

「これからは、死刑はすべて斬首」と聞いてだれよりも慌てたのは、ほかでもない、シャルル－アンリ・サンソンだった。サンソンがこの法令に慌てたのは、よく理解できる。斬首では苦い失敗の思い出もあるサンソンには、斬首の難しさがだれよりもよくわかっていた。これからいつも斬首ばっかりになったら、失敗の回数が増えるのは目に見えていた。

サンソンは法務大臣デュポールに意見書を提出した。

法の意向にそって刑が執行されるためには、死刑囚の側からいっさい妨害がない場合でも、執行人の技倆が非常に高いこと、死刑囚が非常に確固としていることが必要です。こうした条件がなければ、危険な情況が起こることなく剣による執行を遂行することはけっしてできません。一度刑を執行すると、剣はもはや別の執行ができる状態にはありません。

刃毀《はこぼ》れしやすいものなので、もし同時に複数の死刑囚に刑を執行しなければならない場合は、剣を研ぎ直し、新たに鋭利にすることが絶対的に必要です。したがって、完全に整備された、何本もの剣をそろえておく必要があります。このため、ほとんど乗り越えがたい、非常に大きな困難が生じます。

さらに注意すべきことは、こうした場合の執行では、剣が折れることがしょっちゅうあるということです。

パリの執行人には二本の剣しかありません。これは旧パリ高等法院から支給されたものです。一本あたりの値段は六百リーヴルでした。

同時に刑が執行される死刑囚が複数いる場合は、この刑の執行によっておびただしい血が流れ、辺りに広がることになりますが、その恐ろしさが、執行を待つ者たちの中でもっとも勇敢な者の心にさえも恐怖と弱さを引き起こすものだ、ということに留意する必要があります。こうした弱さが、刑の執行に対して打ち勝ちがたい障害を生じさせることになります。死刑囚はもはや自分自身の身体を支えることができず、もしそのまま刑の執行を強行すれば、それは無理強いの格闘騒ぎ、虐殺になることでしょう(8)。

すべての死刑が剣による斬首で行なわれるようになると、人道的配慮のもとに刑を斬首に統一した法の精神とは逆に、処刑台の上で死刑囚がのたうち回るといった悲惨な光景がたびたび生じることになる、ということをサンソンは言いたかった。法の人道的な精神を活かすためには、死刑囚の体を固定し、刑の執行が確実に行なわれる手段を見出す必要がある、とサンソンは結論づけている。

サンソンは、斬首刑に処せられる死刑囚が二人以上いる場合を引き合いに出して剣による斬首の難しさを強調しているが、ラリー＝トランダル将軍の処刑のところで見たように、たとえ死刑囚が一人だけだとしても難しいのである。以前は、斬首刑に処せられるのは貴族だけだった。だから、「高貴な人間なら、高貴な人間らしく、覚悟を決めてじっとしているべきだ」という期待もできた。そして、実際、ラ・バール騎士のように、処刑台の上で身じろぎ一つしない死刑囚もいた。しかし、だれもがラ・バール騎士のように振る舞えるわけではない。そうできない人間のほうがはるかにずっと多いのだから、すべての死刑囚を斬首するとなったら、ほとんどそうでない人ばかりになるのは明らかだった。たとえば、その辺の与太者であった死刑囚に「覚悟を決めてじっとしていろ」と言っても無理である。もし、あの「首飾り事件」のラ・モット夫人のように、処刑台の上で暴れまくる死刑囚が来たら、いったいどうなるのか？絞首刑なら執行できるが、剣による斬首は絶対に無理である。

サンソンの不安はずいぶんと深刻なものであったろう。「パリの執行人には二本の剣しかありません」と述べて、剣一本の値段まで書いているところにサンソンの狼狽ぶりがよく表われている。処刑に失敗することは、まず第一に、死刑執行人として、サンソン家の名誉に関わる。そして、斬首に失敗した場合は、ほかの刑と違って、後の処理が困難をきわめる。死刑囚が処刑台の上でもがき苦しむことになると、刑の執行が非常に難しくなるだけでなく、観衆が死刑執行人の不手際に憤慨して襲いかかってくることも実際にあったから、サンソンにとって、これは死刑囚の命だけでなく自分の命にも関わる問題だった。

六月三日の法令が通る前から、サンソンは将来に不安を感じてもいた。五十歳を過ぎた自分には新しい処刑方式に順応するのはもう無理ではないかと思い、前年の九月に、引退して息子に職務を譲りたいと法務大臣に申し出たこともあった。息子ももう二十四歳になっていた。しかし、大臣が認めてくれなかった。この大事な時期、経験の浅い息子では心もとない、と大臣は思ったのだろう。

法務大臣デュポールは、サンソンの意見書を受けて、同じ危惧《きぐ》を表明する意見書を国会に提出した。

こうしてやっと、確実に斬首できる機械を作ろうということになった。国会は、外科学アカデミー終身幹事、アントワーヌ・ルイ博士に機械についての研究を依頼した。ルイ博士は六十九歳、医学界の長老で、自他ともに認める第一級の科学者だった。ルイ博士は一七九二年三月十七日に国会に報告書を提出し、三月二十日、国会はこれを採択した。

ルイ博士がこの報告書の中で述べている「人道主義と正義にかなう機械」で、ギロチンの原形は出来上がっていた。あとは、細かい改良が加えられるだけである。ギヨタンが言っていたように、ギロチンに似た機械は昔からあり、ルイはイギリスで使われていた機械を参考にしていた(イギリスでは、この機械は「乙女 maiden」と呼ばれていた)。この段階では、機械の製作についてはギヨタンよりもルイのほうがはるかに関与の度合いが高く、機械自体もルイ博士の名前から「ルイゾン」とか「ルイゼット」とか呼ばれたこともあるのだが、最終的には、アイデアのもともとの発案者ギヨタンの名にちなんで「ギロチン」に落ち着くことになった(「ギロチン」は英語読みで、フランス語では「ギヨティーヌ guillotine」と言う。ギヨタンの綴りは Guillotin)。

ルイ博士はギドンという木工業者に仕様書を渡し、機械製作の見積書を出させた。ギドンの見積り費用は五千六百六十リーヴルだった。税務大臣が高すぎるとして拒否したため、サンソンがシュミットという知り合いの楽器製造業者に話を持っていってみた。サンソンにはバイオリンやチェロを演奏する趣味もあり、シュミットから楽器を購入していただけでなく、一緒に合奏することもあった。シュミットは九百六十リーヴルで作れると言う。そこで、シュミットに発注することに決まった。

ルイ十六世とギロチン

アントワーヌ・ルイ博士はルイ十六世の侍医だった。ルイ十六世とルイ博士の間で斬首用の新しい機械が何度となく話題になったことだろう。錠前作りが趣味で金属工作が得意なルイ十六世は、こういったことにはもともと非常に関心が高い。それに、即位以来、刑罰の人道主義化を推し進めてきたのはルイ十六世なのだから、新しい機械にますます強い関心を持つことになる。精密科学にも通じているルイ十六世には、新しい斬首機械について一つのアイデアがあった。

そこで、一七九二年三月のある日、チュイルリー宮殿で内輪の検討会が開かれることになった。表向きは、ルイ博士がギヨタンとサンソンをチュイルリー宮殿に召集するという形を取り、国王が検討会に参加することは伏せられていた。

サンソンは、ギヨタンと一緒にチュイルリー宮殿の長い廊下を歩きながら、宮殿の陰気な有様に心が締めつけられる思いがした。かつては煌《きら》びやかに着飾った廷臣で一杯だったこともあったろうに、うら寂れてほとんど人影もなく、時々、不安げな青白い顔と行き会うだけだった。三年前にヴェルサイユ宮殿に行ったときもなんとも言えない居心地の悪さを感じさせられたものだったが、あのときのヴェルサイユ宮殿には、まだ宮廷の輝きというものがあった。

サンソンとギヨタンはルイ博士の執務室に入った。博士は緑色のビロードのクロスがかかった机に向かって座っていた。博士はシュミットが書いた図面を見せてくれるように言い、ギヨタンが図面を差し出した。その図面には、サンソンが機械の各部分にアルファベットを振り、説明書きをつけ加えていた。

ルイ博士が図面を子細に吟味していたとき、ドア代わりのタペストリーを上げて、一人の男が入ってきた。それまで座っていたルイ博士が立ち上がった。

これがルイ十六世だった。

身なりに国王らしいところは何もなく、どうやら身分を秘して会合に参加したいということらしかった。深々とお辞儀をするギヨタンに投げた冷たい視線が「今日はお忍びだ」という意思を強く表明していた。

国王は、いきなりルイ博士に話しかけた。

「どうです、博士、それについてどう思いますか？」

「私には完璧だと思われます。ギヨタン氏が私に言っていたことが完全に裏付けられています。それより、あなたご自身で判断してみてください」

ルイ博士は国王に図面を手渡した。

国王はしばらく黙って図面を眺めたあと、問題点がある、というふうに頭を振った。

「この半円月形（凹型）の鉄の刃は、本当にこれでいいのでしょうか？　こんなふうな形の鉄の刃がすべての首にきっちりと当てはまると思いますか？　ただ傷つけただけに終わる首もあれば、挟み込めないような首もあるのではないでしょうか？」

サンソンは国王の指摘が正鵠《せいこく》を射るものであることに驚き、目が思わず国王の首のところにいった。国王はもともと頑健な体格だったが、細いレースのタイがのぞかせている首は筋肉質で、シュミットが鉛筆で描いていた半円月形の刃からはるかにはみ出るほどの太さだった。

サンソンがそんなことを考えてぼんやりしていたとき、「あれが例の男か？」と自分のことを国王がルイ博士に小声でたずねているのが聞こえた。三年前に一度会っているのに、顔をちゃんと覚えていなかったらしい。

「彼の意見を聞いてみてください」と国王はルイ博士に言った。

「あなたはこの方のご意見を聞きましたね。刃の形についてはあなたはどのように見ていますか？」

「この方のご意見は」とサンソンは、「この方」という言葉に特別の思いを込めながら言った。「まったく正しいと思います。刃の形が原因で、何らかの困難が生じる可能性があります」

国王は満足そうな様子で微笑んだ。それから、ルイ博士の机の上にあった羽根ペンを手に取り、半円月形の代わりに斜めの直線を引いて図面を修正した。

「でも、私が思い違いをしているということもあります。実験をするときには、二通りの刃を試してみる必要があるでしょう」

そう言って、手で会釈しながら国王は部屋から出ていった[9]。

ルイ十六世は、もはや、三年前にシャルル＝アンリがヴェルサイユで会ったときの若き国王ではなかった。あのときは、容貌に穏やかな優しさがただよい出ていたものだったが、この日シャルル＝アンリが見た国王はそんな年でもないのにすっかり老け込み、やつれた顔に疲労と苦悩の跡が刻み込まれていた。目には時々暗い陰が宿り、苛立ちを抑えきれずに額に皺を寄せたりしていた。いつもどおりの温厚さが出てきたのは、かなり時間がたってからだった。

あの「ヴァレンヌ逃亡事件」がいけなかったのだ。あれは去年の六月だった。従僕に変装してまで国外に逃げようとした国王が、国境近くの町ヴァレンヌで正体を見破られ、パリに連れ戻されてきた。これで、「国王は外国の軍隊とともにフランスに攻め込み、革命をつぶそうとしている」という噂が一挙に信憑《しんぴょう》性を持つことになった。国王と国民の信頼関係が一気に崩壊し、国王を廃位して共和国にという声がフランス全土から怒濤《どとう》のように沸き起こってきた。

この事件までは、ルイ十六世は国民に敬愛されていた。「国民、国王、国法」という革命のスローガンがよく物語っているように、新たに憲法を制定し、国民と国王が一致協力して新しい国造りにあたろうという熱気にあふれていた。国王を廃位しようなどとは、だれも考えてみもしなかった。そんなことを考えていた者がいたとしても、フランス全国で十数人ぐらいなものだったろう。

九月に憲法が制定され、ルイ十六世は憲法に忠誠を誓い、フランスは立憲君主主義国となった。しかし、「ヴァレンヌ逃亡事件」以降は、ルイ十六世は事実上、虜囚《りょしゅう》の身だった。願っていたとおりの立憲君主主義国になったというのに、それはシャルル－アンリが思い描いてきたものとはずいぶんとかけ離れていた。

サンソンは国王の変貌ぶりにひどくショックを受け、心が痛んだ。そして、三年前に初めて会ったときに国王と自分との間にあった天と地ほどの差が奇妙にも縮まっていることに、不吉な胸騒ぎを覚えた。

これが、シャルル－アンリ・サンソンとルイ十六世の二度目の出会いであった。

ギロチンのデビュー

四月十七日、ギロチンの最初の実験が、三体の死体を使ってビセートル監獄の中庭で行なわれることになった。ルイ博士とギヨタンのほか、ピネルとカバニスという二人の医者が立ち会った。牢獄の窓から囚人たちが実験の様子を熱心に見守っていた。ギロチンを操作するのは、もちろん、シャルル－アンリ・サンソンである。

手順としては、まず木の台の上に死体を腹這いに寝かせ、二本の支柱の間、ギロチンの刃が落ちてくるところに二枚の板を使って首を固定する。上下に分かれるこの二枚の板の真ん中のところがそれぞれ半円状に切り取られていて、閉じ合わせると首をちょうど上下から挟み込むようになっている。それから、台の上に寝かせてある体の数ヵ所を革のベルトで固定する。こうしておいて、ギロチンの刃を押さえている紐の掛け金をはずすのである。刃の上部に錘《おもり》がついていて、刃は勢いよく落下する。首を後ろのほうから切断するわけで、これは剣による斬首の場合と一緒である。

斜めの刃を使用した二体は成功だったが、半円月形の刃を使用した一体は失敗だった。これで、ギロチンには斜めの刃が採用されることに決定した。

実験によって、ルイ十六世の考えの正しさが実証されたわけである。定規の直角三角形のような形をした、ギロチンの斜めの刃、あれはルイ十六世が考えついたものだったのである。

なぜ、斜めの刃がうまくいくかについては、ルイ博士が三月十七日に国会に提出した報告書の中で述べていた見解が大いに参考になる。この報告書では、ルイ博士は凸形の半円月形の刃を考えていたが、実験の結果、博士の次の見解は斜めの刃にこそ当てはまることが明らかになった、というふうに思われるのである――「刃物というものは、垂直に打ったときにはほとんど、あるいは、まったく効果がないということはだれでも知っている。顕微鏡で調べれば、刃物は、目の細かさに違いはあれ、結局は鋸と同じだということがわかる。したがって、断ち切るべき物体に滑りながら作用するようにしなければならないのである。刃が一直線な斧や刃では、一撃で首を断ち切ることはできないだろう。しかし、昔武器に使われた斧と同じように、半円月形の刃を使えば、加えられた一撃は円状の中心点でしか垂直に作用しない。刃は分け入った部分に継続的に入り込んでいくことによって、中心点の横の部分に対しては滑りながら斜めの作用をなし、確実に目的を達する」

ギロチン。これはのちに作られたもの。

もし、ルイ十六世がこのような裏付けをもって斜めの刃を提唱したとしたら、ルイ十六世の精密科学への造詣はかなり深く、相当に頭脳明晰な人物だったということになる。(10)

死体を使った実験から八日後の四月二十五日、生きた死刑囚に初めてギロチンが適用されることになった。これまでは斬首以外の刑も執行してきたシャルル－アンリ・サンソンが「首斬り役人」になるのは、ここからである。

史上初めてギロチンにかけられたのは、ニコラ－ジャック・ペルチエという男だった。この男は、何度か警察の世話になってはいたが、べつに極悪人というほどの男でもなかった。町の与太者で、前年の十月、街頭で出くわした金持ち風の男から財布を奪い取ろうとしたところ、相手がどうしても財布から手を放そうとしなかったので、やむなく棒で叩いたのであった。暴力行為が加わると、当然、罪が重くなる。騒ぎを聞きつけて飛び出してきた近所の男たちにペルチエは取り押さえられた。ついに奪い取ることができなかった財布には八百フラン入っていた。一月二十四日に死刑判決が確定し、普通ならただちに刑が執行されるところだが、ギロチンが完成するまで三ヵ月も待たされることになった。歴史に名を残すにもいろいろな方法がある。ニコラ－ジャック・ペルチエの場合は、ギロチンで処刑された死刑囚第一号として歴史に名を残すことになった。アンラッキー、としか言いようがない。

グレーヴ広場に連行されてきたペルチエは完全に意気阻喪《そそう》し、自分の身体を支えることができないような状態だった。「これからはすべて死刑は斬首」と国会が決めたときにサンソンが心配したとおり、剣による斬首ではどうみても執行は無理だった。

巷で話題を集めていたギロチンのお披露目とあって、グレーヴ広場にはものすごい数の群衆が詰めかけた。当局は、人々が興奮したり憤慨したりして「ヴェルサイユ死刑囚解放事件」のときのように処刑器具を壊そうとするのではないかと心配し、せっかく出来上がったギロチンを保護するために多めの兵士を配置していたが、別段の混乱は起こらなかった。

観衆はどちらかというと、失望した様子だった。何が何やらよくわからないうちに、あまりにも早く、あっけなく、簡単に終わってしまったという不満の声が多く聞かれた。一瞬にして人間の首を断ち切る機械に驚いた人もいた。人道的処刑とはいうが、大量の血を見ることによって、かえって人々の気持ちが残酷嗜好《しこう》に傾くのではないかと危惧した人もいた。

剣による斬首の場合は、そこに死刑執行人の人格が関わってくる。技倆、性格、気力がものを言い、処刑台の上で、処刑される者と処刑する者との間に束の間の、この世で最後の人間関係が成立する。失敗した場合は、死刑執行人はその全責任を一人で負わなければならない。ギロチンによる処刑には、そのようなものはいっさいない。機械のメカニズムで処刑が遂行され、死刑執行人は単なる「スイッチの入れ屋」でしかなくなる。

しかし、ギロチンは死刑執行人の腕や偶然に左右されない確実なものだとはいっても、実はギロチンにも熟練がいる。だれにでもできそうに見えて、かなりの経験と覚悟を要するのである。素人にはとうていできるものではなく、何の修練も積んでいない素人がギロチンを操作するとどんな結果になるかという実例は「第三章」でお目にかける。

《自由と平等》の理想から導き出された人道的処刑機械、ギロチンは、ともかくもこうしてスタートを切った。ギロチンの誕生は、死刑制度における旧体制の破壊であり、たしかに一つの進歩を象徴するものではあった。ギロチンの産みの親、ギヨタンとルイ博士はともに医者であり、ギロチンの最初の実験にはほかに二人の医者も立ち会っていた。もっとも苦痛少なくして人を死に至らしめるギロチンは、医学的、科学的にも完璧なものであったのだろう。しかし、あまりにも簡単に、迅速に、人を処刑できてしまうところに、大きな問題がひそんでいたのでもあった。

第三章　神々は渇く

友好的革命の終焉

ギロチンがデビューする五日前の一七九二年四月二十日、フランスはオーストリアに宣戦布告していた。この戦争は、まずプロシア、それから次々に他の国々を巻き込み、対ヨーロッパ全面戦争に発展する。フランス一国で、ほとんど全ヨーロッパを敵に回すことになるのである。この戦争がフランス革命の性格を変質させ、革命はだんだんと血腥《ちなまぐさ》いものになってゆく。

最初、フランス革命は《自由と平等》の理想が謳歌される、非常に楽観的な情況の中で開始された。人々は、自分たちが頑張りさえすれば、これまでの悪弊は一掃され、すばらしい世の中になると信じきっていた。そのためなら、自分の命などどうなってもいいとさえ思っていた。もう金持ちも貧乏人もない、貴族も平民もない、俺たちは自由なんだ、平等なんだ――人々の間には友愛と連帯の感情が満ちあふれ、和気藹々《あいあい》とした雰囲気がただよっていた。

こうした革命の楽観ムードにまず水を差したのが、一七九一年六月に起きた、国王の「ヴァレンヌ逃亡事件」だった。これで、国民と国王との信頼関係が一挙に崩壊し、王政を廃止して共和国を求める声がフランス全土から巻き起こってきたのであった。

戦争がこれにさらに追い打ちをかけ、革命の友好的雰囲気は決定的に悪化した。戦争開始当初はフランス軍の敗北が相次いだ。貴族の将軍や士官の多くが革命に恐れをなして外国に亡命してしまっていたため、フランスの軍隊はプロの軍人としての訓練を受けた幹部層が非常に貧弱な素人集団になっていたし、その上、装備の点でも、軍服や軍靴さえもろくにそろわないぼろぼろの軍隊だった。軍に残っていた貴族の将軍にはあまりやる気がなく、宮廷はフランスが負けて革命がつぶされることを期待していたので、国王は戦時体制の強化につながるような法案には拒否権を発動していた。

対外危機にさらされて、フランス人の愛国心が高揚するとともに、外国と手を結ぶ国内の反革命勢力に対する警戒心が強まり、革命は急激に先鋭化する。これまでは金持ちも貧乏人も一緒になって革命を推し進めてきたのだったが、貧富の差、階級差といった人々の間の利害の対立が表面化するのである。そして、国内の階級闘争の激化は、王政を廃止し、共和国を樹立しようという流れをますます加速させた。

六月二十日、パリの民衆が兵士の警備を振り切ってチュイルリー宮殿に乱入し、国王ルイ十六世に対し、革命にもっと協力的な態度をとるように延々二時間にもわたって迫るという出来事があった。七月十一日には「祖国は危機にあり」という宣言がなされ、ほんの数日間にパリだけでも一万五千人が義勇兵登録をした。七月三十日、マルセイユから義勇兵の一団がパリに到着した。彼らが街を練り歩きながら歌った歌が「ラ・マルセイエーズ」と呼ばれ、フランス国歌になる。このマルセイユ軍団の到着が急進派を勢いづかせた。そしてついに八月十日には、パリの民衆がチュイルリー宮殿を攻め、宮殿を守備するスイス傭兵隊との戦闘の末にチュイルリー宮殿を制圧した。

国王一家は国会の議場に逃れ、国会の保護を求めた。国会はどう対処するべきか躊躇《ちゅうちょ》したが、パリの民衆の全面的勝利の前に、王権停止を宣言した。

国王の処遇をめぐっては、リュクサンブール宮殿に住まわせる案など、いろいろな意見があったが、結局、警備がしやすいということで、国王一家はタンプル塔に幽閉されることになった。「ヴァレンヌ逃亡事件」以降は、ルイ十六世はすでにチュイルリー宮殿でも事実上は虜囚の身であったのだが、この時点で牢獄に入れられた囚人とほとんど同じ境涯になった。従僕三人、コック十三人がつけられるという待遇ではあったが。

王政が倒れて

この八月十日の出来事は、サンソンがまったく予期していないことだった。

この日はシャルル－アンリは家でくつろぎ、息子のアンリはボルガール街に住む叔父シャルルマーニュ・サンソン（シャルル－アンリの弟）のところに遊びに出かけていた。昼食後、換気のために窓を開けたアンリは、通りに人が集まっているのに気づいた。その中の一人が棒の先に何かを突き刺し、それを高く掲げていた。部屋は五階にあったので最初は何かよくわからなかったが、よく見ると、それは人間の首だった。と思う間もなく、一人のスイス傭兵が別の集団に追いかけられて逃げてくるのが見えた。

アンリは叔父と一緒にただちに下に駆け下りた。二人が通りに出ると、ちょうど集団がまだ若いそのスイス傭兵に追いついたところだった。アンリが、この若者があなた方に何をしたのか、あなた方はこの若者をどうしようというのかとたずねると、午前中にチュイルリー宮殿で戦闘があり、大勢の仲間がスイス傭兵に撃ち殺された、だからスイス傭兵は全員殺さなければならないのだ、と人々は答えた。これで初めて、アンリは異変を知ったのであった。

アンリが人々と談判している間に、叔父がスイス傭兵を家の中に入れた。家は裏から別の通りに出られるようになっていた。

こうしてアンリがスイス傭兵を助けていた頃、ヌーヴ－サン－ジャン街のサンソンの家には一人の宮廷関係者が逃げ込んできていた。

「序章」で、シャルル－アンリの父親ジャン－バチストに「罪を犯した息子を自分の手で処刑したというのは本当か」と聞きにきたシャロレー伯爵の話をしたが、このとき、伯爵の従者としてサンソン家に一緒にやってきたシェノーという若者のことを読者はご記憶であろうか？

当時は元気一杯の若者だったシェノーも、今ではすっかり白髪の老人になっていた。

シェノーには甲冑作りや鉄砲作りがうまいという特技があったので、一七六〇年にシャロレー伯爵が死亡したあとは、武具製造技術者としての腕を買われてルイ十五世、ついでルイ十六世に仕えることになった。パリの民衆によってチュイルリー宮殿が襲われたこの日、宮廷関係者の一人として生命の危険にさらされたシェノーは、サンソンの家に助けを求めてきたのだった。つまり、死から逃れるために、死刑執行人の保護を求めたのである。父親のジャン-バチストと親交があったシェノーのことは、シャルル-アンリもほんの子供の頃からよく知っていたので、すすんで家に匿《かくま》ってやることにした。次章で、シェノーに命の恩人に報いる機会が訪れる。

翌十一日、サンソン親子は、居住する地区の集会へ出席するように要請された。処刑人一族にも市民権が認められたのだった。そして、地区集会でサンソン親子はともに国民衛兵隊の軍曹に推挙された。

やっと処刑人一族も、一応は人並みに扱われるようになったのである。シャルル-アンリのずうっと子供の頃からの念願がかなえられたわけだが、「自分たちの市民権獲得と国王陛下の権威失墜とが交換条件だったとは!」と思えば、喜ぶ気にはまったくなれなかったことだろう。

人を処刑するとは、どういうことか

　革命前は無に等しい存在だった一般の民衆が、今や革命の動向に大きな影響力を持つようになっていた。民衆は復讐心に目覚めていた。これまで「生まれ」にあぐらをかいて自分たちを蔑み苦しめてきた宮廷の人々や貴族階級、金にものをいわせて自分たちを軽んじてきた富裕な人々、つまりは旧体制《アンシャン・レジーム》下で自分たちを犠牲にして甘い汁を吸ってきたすべての輩《やから》に対する憎悪が表に現われてきたのである。民衆は旧体制下で味わわされてきた多くの苦しみに対して血の代償を求めるようになり、それとともに、ギロチンも人道的処刑手段から復讐の道具へと性格を変えてゆく。

　ギロチンによる処刑は、鉄の刃を落下させるだけなのだから、だれにでもできるように見える。しかし、実際には、ギロチンの操作にも熟練を要する。まず、手順を覚えなければならないが、それだけで処刑ができるものではない。タイミングを計る技術も必要なのである。

　最初の頃、地方の死刑執行人たちは、シャルル－アンリ・サンソンのところにギロチンの操作の仕方について教えを請いにきた。サンソンの家に何日か滞在し、研修を受けたのである。それでも、地方の死刑執行人がギロチンの操作に失敗し、刃の上げ下げを何度も繰り返さなければならなかった例がいくつもあり、[*]ほかの死刑執行人にギロチンの操作を教えてきた筆頭死刑執行人「ムッシュー・ド・パリ」のサンソンでさえ、一度ですまなかったことがある。

＊とくに痛ましいのは、フランス第三の大都市、リヨンの死刑執行人リペールのケースである。リペールは、一七九三年にリヨンがパリ中央政府に反乱を起こした際、リヨンの革命指導者シャリエを処刑する巡り合わせになったが、三度刃の上げ下げを繰り返しても首の切断に成功せず、最後はナイフを使って首を切断した。シャリエの苦しみは相当なものであったろう。処刑がギロチンになってから、いつしか切断された首を群衆に見せるのが慣例になっていた。普通は髪をつかむのだが、シャリエは頭が禿げていたので、リペールは耳をつかんでシャリエの首を群衆に示した。そのやり方もずいぶんとぞんざいなものであったらしい。リペールは、処刑失敗で気が動転していたか、あるいは、反革命派に媚びを売ることで処刑失敗をなんとか取り繕おうとでも思ったのだろう。ともかくも、すでに酷たらしい処刑で人々の憤激を買っていたというのに、首の見せ方もまずいという、二重の過ちをリペールは犯してしまったのだった。その後、リヨンの反乱がパリ中央政府によって鎮圧されると、リペールとその助手は処刑不手際の責任を問われ、二人とも処刑された。(1)

こうした技術的な問題がないとしても、素人にはとうていギロチンを操作できるものではない。人を処刑するというのは、ただ人を殺すのとはぜんぜんわけが違う。大勢の観衆が見守り、重苦しい儀式的雰囲気が辺りを圧する中、処刑台にあがった段階で、すでに非常に強度の緊張を強いられる。

もし、素人がギロチンを操作すると、どうなるか？

その実例がアンリ－クレマン・サンソンの『サンソン家回想録』に語られているので、少し詳しく見てみよう。

一七九二年八月十九日、コローという男が紙幣偽造の罪により、死刑の判決を受けた。

革命前は、紙幣というものはなかった。お金はすべて金属で作られ、たとえば金貨なら、その金貨に含有されている金の量によって価値が保証され、お金として通用していた。革命政府にはお金をすべて金属で作れるだけの十分な資力がなかった。そこで、紙でお金を作り、それに強制的に価値を持たせようとした。つまり、現在われわれが完全に慣らされてしまっている方式を採用したのである。

われわれ現代人は、たとえば一万円札を見て、「この一万円札に、はたして、一万円の価値があるだろうか？」と考えたりはしない。むしろ一万円札を規準にして、一万円の価値を決めている。でも本当は、一万円札はカラー印刷がほどこされた紙切れにすぎないのだから、材料費・製造コスト等から考えて、一万円札にはせいぜいのところ数十円の価値しかない（国立印刷局によると、一万円札の日本銀行への引き渡し価格は約二十円）。

今でも紙幣を偽造する人間はいるが、紙幣が登場したばかりの時代の人々にとって、紙でお金が作れてしまうという魅力に抵抗するのは、現代人よりもはるかに難しいことであったろう。

紙幣偽造は革命を脅かす重大犯罪なので、罰則は死刑で、この一七九二年に入ってからだけでも十四人が死刑に処されていたが、紙幣偽造者は跡を絶たなかった。このコローという男も、べつに犯罪常習者ではなく、宝石細工の職人をしている普通の人間だった。あるいは、普段、貴金属を扱っているだけに、紙に貴金属と同じ価値を持たせることができるという誘惑に勝てなかったのかもしれない。

コローの処刑は、パリ市庁舎前のグレーヴ広場で行なわれることになっていた。これまでも、紙幣偽造者はほかの犯罪人と同じようにセーヌ川沿いのこの広場で処刑されてきた。

サンソンとコローが乗った馬車がグレーヴ広場に入ってくると、処刑台の周りをびっしりと取り囲む人々の間から、いっせいに叫び声があがった。死刑囚が罵声に迎えられるのは毎度のことだが、このときは少し雰囲気が違っていた。人々が「カルーゼル広場へ！」と叫んでいるのがサンソンにはわかった。カルーゼル広場というのは、チュイルリー宮殿に面した広場のことで（チュイルリー宮殿が存在しない現在ではルーヴル美術館の中庭に相当する）、人々は処刑場をそこへ移せと要求しているのであった。

コローにとって不運だったのは、王政が倒されたばかりで、内外の反革命集団に対する人々の憎しみが高まっている時期に行き当たった、ということである。グレーヴ広場に詰めかけていた人々は、コローがこれまでと同じ場所で処刑されることに不満だった。フランスが外国軍の侵入にも脅かされているという、この重大な時期に紙幣偽造をするということは、祖国に対する裏切り行為、王政に味方する政治的犯罪、許しがたい反革命的行為だ、とみなされたのであった。

「カルーゼル広場へ！」「カルーゼル広場へ！」という叫び声の中を馬車はゆっくりと進みつづけていたが、群衆の中から一人の男が飛び出してきて御者から馬の手綱を奪い取り、馬車を止めた。

「みんなが言っていることがわからないのか！」とその男は叫んだ。「専制君主どもの奴隷・手先を罰するギロチンは、最後の国王が住んでいた宮殿の正面に組み立てられるべきだ。すぐに道具を移動しろ！」

「道具」とはギロチン台のこと。サンソンはその男に説明した。与えられた命令を遂行するのが自分の義務であり、勝手に命令内容を変更することはできない、それに、処刑台を移動させるにはもう時間的にも遅すぎる、と。実際、処刑台を解体して、搬送し、また組み立てるとなれば数時間がかりの仕事になる。

しかし、群衆は納得せず、叫び声はさらに大きくなるばかりだった。さらに何人かの男たちが飛び出してきて、馬車の向きをチュイルリー宮殿のほうへと勝手に変えてしまった。

サンソンは非常にこまった。こうした場合にそなえて護衛の兵士というものがついているのだが、群衆の勢いに圧倒されて、なんの行動もとろうとしなかった。ふと気になって死刑囚のコローのほうに目をやると、完全に打ちひしがれ、茫然自失の体《てい》だった。処刑執行を長引かせるのは当人にとってかわいそうなことだし、それに、死の恐怖に耐えつづける人間の神経にも限度というものがある。このままではなんらかの不測の事態が起こらないとも限らなかった。

サンソンは懸命に群衆を説得した。その結果、まずはもう一度馬車の向きを変え、馬車をいったんは処刑台のところにつけ、それからパリ市に新たな指示を仰ぐ、ということで一応は話がついた。

市の幹部たちはいたずらに死刑囚を引き回して苦しみを増大させることはしまい、とサンソンは見込んでいた。

ところが、市の幹部たちは民衆の行動に驚き、慌てふためき、狼狽していた。そして、民衆の要求に応じるように、とサンソンに言うのだった。

サンソンの助手たちが処刑台の解体にとりかかったのを見て、群衆の間から「万歳！」という大歓声が沸き起こった。と同時に、処刑台のすぐ近くに陣取っていた者たちが柵を乗り越えて処刑台に群がり集まってきた。なんと、解体作業の手伝いをしよう、というのだった。

以前は処刑用具に手を触れることさえ嫌がっていた人たちなのに、とサンソンは不思議な気がした。自分たちと間接的な接触を持つことさえ嫌がったものだった。あれはいつのことだったか、ずいぶんと昔のことのような気がするが、処刑に必要な物をあらかじめ買いそろえておくのを助手が忘れたことがあった。処刑場の近くの店で買おうとしたところ、どこの店も売ってくれなかった。処刑人とはいかなる接触も持ちたくないのだった。市役所の役人が同道し、店の者に命令して、やっと買うことができたものだった。

サンソンは、世の中がすっかり変わってしまったのだなぁ、としばし感慨にとらわれた。

王政が倒れて《自由と平等》の思想が現実化してきたことや人々の革命に対する熱意ももちろん差別を和らげていたのだが、処刑方法がギロチンに一本化されたことも、死刑執行人を一般の人々に近づけていた。革命前の時代に八つ裂きの刑や車裂きの刑を執行していた処刑人は、明らかに一般の人々とは隔絶した特殊な人間だったし、剣による斬首にともなう独特の張りつめた雰囲気も処刑人を一種特別な人間にしていた。しかし、ギロチンを操作するだけの処刑人は、以前よりはずっとニュートラルな存在、普通の役人に近い人間になっていた。とはいっても、人々の偏見はなかなかに抜きがたいものだったし、表面上はともかくも、やはり人々にとってギロチンは怖いものだった。

何十人もが手伝ってくれたので、解体作業もあっという間だった。群衆は、資材を運ぶ馬車までもどこからか調達してきていた。しかし、新たな処刑場へ向かう途中で、死刑囚のコローが突然馬車の上で暴れ出した。さっきまではすっかり打ち萎れていたのに、今度は錯乱状態に陥ってしまった。縄を断ち切ろうとして身をもがき、取り押さえようとした助手に嚙みついた。大声でわめき、暴れまくるので、猿轡《さるぐつわ》を嚙ませ、体をぐるぐる巻きに縛りあげるほかはなかった。死を待つ時間をあまりにも長びかせると、死刑囚の神経がそれに耐えられなくなってしまうのである。しかも、周りの群衆は死刑囚を肴《さかな》にしてお祭り騒ぎだ。実際にワインの瓶が回し飲みされていた。これでは、死刑囚はますます苛立つばかりだった。

カルーゼル広場に着くと、群衆はグレーヴ広場で処刑台を解体するときに見せたのと同じ熱心さで組み立て作業を手伝った。普通は処刑台を組み立てるのにも何時間もかかるものなのだが、これもすぐにすんでしまった。

時間的にはスムーズに進んだものの、別の問題が持ち上がっていた。サンソンの助手たちは群衆とすっかり仲良くなって一緒に酒を飲んだりしていたが、四人のうち三人まではもう仕事ができないほどに酔っぱらっていた。依然として錯乱状態にある死刑囚が、処刑台の上ではさらに激しく暴れるだろうということは目に見えていた。暴れる死刑囚をギロチンにかけるには、最低でも三人は必要であり、とても二人では仕事はできない。暗くなって明かりも必要になってきたことだし、市庁舎に死刑執行の延期を願い出なければなるまい、とサンソンは思った。

サンソンは近くにいた群衆に心配事を打ち明け、だれか市庁舎に行って、処刑延期の許可をもらってきてはくれないだろうか、と頼んでみた。この情報が広場の人々の間に波の輪が広がるように伝わっていくのが、サンソンにははっきりと見えた。そして、波の輪が大きくなるにつれ、不満と非難の声もどんどん大きくなっていくのだった。

助っ人を買って出た若者

その怒号の中、一人の若い男が群衆を割って進み出てきた。

「あんたは国民の敵を助けたいというのかい。それなら、あんたは裏切り者だ。俺たちがあんたの鼻をギロチン台の首穴からのぞかせてやろうじゃないか」

さすがのサンソンもむっとしたが、問題点をふたたび説明し直してやった。

「なに、あんたの助手たちが酔っぱらって仕事にならないだって？　助手なんか、あんたの周りにいる人たちの中からいくらだって見つかるさ。貴族どもの血が国民の幸福を固めるセメントにならなきゃならん。その血を流させるのを誇りに思わない愛国者なんぞ、一人だっていないよ。なぁ、みんな？」

と、若い男は処刑台のすぐ近くにいる者たちに問いかけた。

みんなが異口同音に「そうともよ！」と答えたが、その返事とは裏腹に、処刑台を取り囲んでいた人々がすうっと後ろに身を引いたため、処刑台と群衆との間に少し空間ができた。とくに処刑台のいちばん近くにいた者ほど、よけい後ずさりしていた。

サンソンは群衆の言葉が実体をともなっていないことを見抜いた。この若者も、周りの雰囲気に影響されて弱腰になるかもしれない。興奮状態にある死刑囚を処刑するには人手が足りないが、そうであっても、群衆は自分を帰してはくれないだろう。そうなると、いつまでも中途半端なままに時間だけがずるずると過ぎてゆくことになる。いっそのこと、この若者が勢い込んでいる間に手伝ってもらうほうがいいかもしれない。しらふの助手と自分とこの若者、三人の人手があれば、なんとかなるだろう。

「それじゃぁ、手伝ってもらおうか」とサンソンは若者に言った。

サンソンは死刑囚の猿轡をはずし、ぐるぐる巻きにしていた縄をほどいた。三人がかりで、暴れる死刑囚を馬車から降ろし、嫌がるのを処刑台の上へ担ぎ上げた。処刑台の上でギロチンの三角形の刃を目にした死刑囚は「死ぬのは嫌だ！」と大声で叫んだ。この叫び声に、広場は一瞬、しーんとなった。それから、ほとんど格闘の末に死刑囚をなんとかギロチン台に据えた。処刑台の上で暴れまくる死刑囚は普段の数倍の力を発揮する。サンソンも一度後ろに倒れそうになったが、処刑台はけっこう高いものなので、処刑台から転落して打ちどころが悪いと死亡することもあった。このため、処刑台に手すりが設置されるようになるが、最初の頃は手すりがなかった。

ギロチンの横板の上に据えられてからも、なお死刑囚が身をよじって体を動かすので、このまでは首の位置がずれて事故になる可能性があった。ギロチンの刃が頭蓋骨にあたったりすると、首が切断されず、悲惨なことになる。大柄の助手が死刑囚の上に腹這いになって乗っかり、動きを封じなければならなかった。

助っ人を買って出た若者は表面上は冷静さをよそおっていたが、顔面蒼白で、額に汗を浮かべていた。暴れまくった死刑囚の様子に気が動転し、必死になって自分の気持ちと闘っているのがサンソンには見て取れた。

「君はすばらしい愛国心の証しをみせてくれたね。いちばん大事な役を譲るから、最後を飾ってみないかね」

そう言ってサンソンは、ギロチンの刃につながる紐を若者に手渡した。

サンソンの合図で、若者は紐をゆるめ、ギロチンの刃を落下させた。ギロチンの刃の衝撃音とともに、ずうっとわめきつづけていた死刑囚の声が止み、首が籠の中に転がり落ちた。

「最後に首をつかみ上げてみんなに見せることになっているんだ。ほら、みんなが首を見せろと言ってるだろう。でも、無理しなくていい。嫌なら、助手にやらせるから」

サンソンがそう言うと、若者は憤慨して「最後まで自分でやる」と言い放った。本当はやりたくなかったのだろうが、若者も意地になり、引っ込みがつかなくなっていた。

若者が髪をつかんで籠から首を取り上げ、処刑台の中央に歩み寄り、まさに首を持ち上げて群衆に示そうとしたそのとき、若者は突然、後ろにもんどり打って倒れた。

気絶したのだろうと思ってみなが駆け寄ってみると、若者は死んでいた。

この若者は、あまりにも無理をしすぎたのである。能力を超える極度の緊張状態にさらされつづけたため、肉体がそれに耐えきれず、ついに脳卒中を起こしてしまったのであった。

人が処刑台の上に立つということは、もうそれだけで非日常的空間に身を置くことである。しかも、ただ人前に出るというのとはぜんぜん違う。処刑場にはすでに異様な空気が張りつめている。その中でさらに処刑にとりかかるとなれば、その行為に対抗する矜持《きょうじ》が必要になる。処刑の恐ろしさ、つらさに耐える精神力を普段から養っておかなければならないし、自分の行為に対する正当性の確信、世間との対決姿勢等々が必要になる。普段からの修養・覚悟・心構えがない素人は、処刑台の上で人を処刑するという強度の重圧に耐えることができない。

プロの処刑人の場合は失敗すると責任を問われて死に追いやられることもあるが、この若者の例は、素人の場合は処刑自体には成功しても死に至る、ということを示している。むしろ、素人は失敗するほうがいい。この若者はたまたま処刑に成功してしまったが、失敗してサンソンが後始末をすることになっていれば、死の責任はサンソンに転嫁され、重圧から逃れることができただろう。

逆に言えば、死刑執行人は普通の人間には耐えきれないような重荷を背負って職務を遂行してきたということ、人を処刑台の上で処刑するのはそれほどに重い責務なのであって、命がけなのだ、ということである。

コローの処刑から二週間後の九月二日に発生した「九月虐殺事件」は、処刑と虐殺は別物だということを示している。処刑台の上での処刑は素人には無理だが、どさくさ紛れの集団虐殺なら素人にもできるのである。

「九月虐殺事件」

この事件は、革命前に行なわれていた車裂きの刑や八つ裂きの刑に匹敵するような残虐行為をごく普通の人々が大量に行なった事件であり、フランス革命のもっとも暗い、負の部分である。

こんな事件が、なぜ、起こったのだろうか?

この事件は、まず何よりも、外国軍のフランス領土内侵攻という危機的情況によって触発されたものだった。

コローの処刑が行なわれた八月十九日にプロシア軍がすでにフランス領内に侵入していたが、

八月二十六日に国境の都市ロンウィ陥落がパリに伝えられた。さらに九月二日、日曜日の朝、ヴェルダンが攻囲されているというニュースがパリに届いた。プロシア軍を率いるブルンスヴィック公爵は、革命の巣窟であるパリの「徹底的破壊」を宣言していたが、ロンウィからヴェルダンへという進み方を見れば、プロシア軍が最短距離でパリを目指しているのは明らかだった。ヴェルダンは国境とパリの間にある最後の要塞であり、ヴェルダンが陥落すれば敵軍は一挙にパリまで押し寄せてくることになる。プロシア軍のパリ到着はもはや時間の問題でしかないのか、と人々は戦々恐々となった。内務大臣のロランは政府をフランス中部、ロワール河の南に移転させることを提案したが、法務大臣をしていた革命の雄ダントンが断固としてこれを退けた――「ロラン、逃亡を口にするなんぞ、つつしんだほうがいいぞ!」(2)

すでに数日前から風雲急を告げる情勢で、もともと静かな休日にはなりそうにもなかったのだが、日曜日のパリの街に警戒を告げる大砲の空砲が鳴り轟《とどろ》き、早鐘が乱打され、街角に「市民よ、武器を取れ。敵軍はすぐそこまで来ている!」というポスターが貼り出された。そうした騒然とした雰囲気の中で、ダントンが国会で「諸君、敵を打ち破るには、われわれには果敢さが必要だ。さらなる果敢さが。そして常に果敢さが。そうすれば、フランスは救われる」という歴史に残る名演説を行なっていたが、この日の午後から虐殺がはじまった。

侵攻してくる敵軍に呼応して牢獄内の政治犯が陰謀を企んでいるとの噂が流れ、自衛本能にかられたパリの民衆が暴発し、市内九ヵ所の牢獄を次々に襲ったのであった。ブルターニュ地方のヴァンデー県で王党派の農民が反乱を起こしたとの報もパリには伝わっていたし、ヴェルダン要塞が王党派指揮官の裏切りによってプロシア軍に引き渡されようとしているという情報もあって、人々は、国内のいたるところに敵がひそんでいるという疑心暗鬼にかられていた。もし、パリが外国の軍隊と反革命派に蹂躙《じゅうりん》されることになれば、これまでの革命の成果がすべて失われるばかりでなく、自分たちの生命や財産も安全ではあり得なかった。

こうして人々が浮き足立っているところに「牢獄内の囚人たちが反乱を起こし、街中に打って出てくる」との噂が広がったのだから、噂はそのまま信じられた。たしかに、囚人たちの中には、外を通りかかる活動家たちを牢獄の窓から挑発していた者たちもいたことはいた――「今にみてろ。プロシア軍がパリに来たら、お前たちは全員おしまいだぞ!」などと。敵軍を迎え撃つために前線に出発しようとしていた義勇兵たちは、自分たちが留守の間に妻や子供たちが殺されるのではないかという不安をかきたてられ、まず国内の敵をやっつけてからでなければ安心して戦場に向かえないという心境になっていた。

虐殺の標的にされたのは、革命に宣誓を拒否した僧侶(反革命派・王党派の精神的支柱とみなされていた)、八月十日のチュイルリー宮殿での戦闘で民衆に敵対した軍人、政治犯だが、窃盗犯や売春婦などの一般犯罪者も多数巻き添えになった。

実際に虐殺行為に手を染めたのはせいぜい四百人くらいだったが、大勢の群衆が周りを取り囲んでいたので、事件の参加者がかなり多いように見えた。

最初に襲われたのはアベイ監獄で、ここがいわば虐殺者たちの本拠地のようなものになり、ここから他の牢獄へと流れていった。

アベイ監獄の場合、百人前後の神父、スイス傭兵、近衛兵が手当たりしだいに殺されたあと、夜になってからマイヤールという人物が登場し、虐殺に合法的な装いがほどこされた。マイヤールはバスチーユの英雄として知られた男で、体格もよかったので、群衆に対して威圧感があった。その場で即席の人民裁判所が設置され、収監名簿にもとづいて囚人が一人ひとり呼ばれた。陪審員役の者も十二名おり、群衆の同意を得つつ、判決が下された。

死刑の宣告を受けた囚人はすぐに群衆に引き渡された。群衆は囚人に群がり、サーベルで切ったり、槍で突き刺したり、棍棒で殴ったりして、集団で虐殺を行なった。牢獄の中庭には、たちまちのうちに死体の山が築かれた。混乱に乗じ、塀を乗り越えて逃げるのに成功した囚人もいた。

しかし、熱に浮かされて狂奔する群衆の中には、できれば囚人を助けたいと思っている者も少なくなかった。僧侶の場合は即席裁判の場で、まず「革命に宣誓したか？」と聞かれる。「いいえ」と答えればただちに死刑が宣告される。だから「とにかく『はい』と言え、そうす

れば助かるのだから」と助け船を出す者もいたのだが、良心に背くよりは死を選ぶ、という僧侶がほとんどだった。(3)

マイヤールは九月四日まで人民裁判を主宰し、そのおかげで助かった者も四十三人いた。王党派の老詩人カゾットもその一人である。一緒にいた娘の熱心な擁護が俄《にわ》か判事たちの心を動かしたのであった（カゾットは虐殺は免れたが、九月二十五日に裁判所で死刑の判決を受ける。せっかく一度は助けた父親が結局は死刑になって、娘はどんなにか傷ついたことだろう）。

アベイ監獄で虐殺を免れた数少ない僧侶の一人、サラモン神父の場合は、一緒に収監されていた神父たちが次々に殺されるのを見ながら、どうすれば助かるかを懸命に考えていた。自分の番が回ってくるのを待ち受けていたときの心境を次のように語っている。

恥かしいことだが、危険が迫り、最期の瞬間が近づいているというのに、私には神にすべてを委ねて死ぬ覚悟ができていなかった。それどころか、私を待ちうけている恐しい死からなんとか免れる方法はないものかと絶えず思いをめぐらしていたのだ。切りきざむ剣や刺し貫く槍を思うと、私の心は恐しさに凍りつくばかりで、臨終のときに心のなかに湧きあがるはずの、神に対する敬虔な感情はまったく訪れてこなかった。また幾度か「天にまします我らの父よ」や「アヴェ・マリア」や改悛《かいしゅん》の祈りを口ずさんだが深い感動を覚えるには至らなかった。不安にさいなまれつつ、私はただひとつの考えにとりつかれていた。つまり、宣誓についての糺問をうまくかわすにはどうしたらよいか、ということであった。(4)

サラモン神父は、即席の裁判官たちに対して、自分は「高等法院の書記で、法律が専門だ」と主張した。幸いにして、裁判所で彼を見かけたことがあると言ってくれた人がいて、サラモン神父は死を免れることができた。

こうして囚人が尋問を無事にかいくぐり、無罪が宣告されると、ほんの数分前までは襲いかかろうと身構えていた群衆は、今度は一転して「よかった、よかった」と囚人を祝福し、抱擁しさえするのであった。

奇妙な虐殺者たちである。自分たちの行為を、祖国と革命の敵という絶対的悪を除去する正当な行為、と思っていたのだろう。

アベイ監獄のほかにも、即席人民裁判所が設置されたところが何ヵ所かある。最初の頃はある程度は統制がとれていたのだが、だんだん事態は悪化していった。ほとんど無差別に虐殺が行なわれるようになり、殺すことを楽しむような連中も混じってきて、残虐行為もエスカレートしていった。すぐには殺さず、痛めつけたり、辱しめたりという嬲《なぶ》り殺し、犠牲者の死体を切り刻むといった行為もなされた。酒を飲みながら虐殺する者たちもいた。貴族の囚人も多かったので、立派な服を着、高価な懐中時計を持ち、金をたっぷり懐に入れている犠牲者もいた。初日には略奪は厳しく戒められ、犠牲者が身につけていた金品はきちんと届け出られていたのだったが、しだいに略奪がごく普通になされるようになっていった。放置された死体が丸裸にされていたのは、こうした略奪行為の結果だった。虐殺者の中には靴下さえ買えない者も多く、死人のはいている靴下でさえも羨望の的になったのであった。

「九月虐殺事件」の残虐行為の代表的例としてしばしば語られるのは、ランバル公夫人の場合である。この女性は革命前、王妃マリー＝アントワネットの取り巻きの一人だった。取り巻きとはいっても、いちばんのお気に入りのポリニャック伯爵夫人（マリー＝アントワネットから年に五十万リーヴルもの金をもらっていた）などに比べればずっと影の薄い女性だった。いったんは外国に難を逃れたというのに、王妃のことが心配になってフランスに舞い戻ってきた。この従順さ、義理堅さが命取りになった。ランバル公夫人は、最初は国王一家とともにタンプル塔に収監されたが、その後フォルス監獄に移され、ここで九月三日に事件に遭遇した。王妃と非常に親しいということで、最初から目をつけられていた。即席裁判の場に引きずり出されたランバル公夫人は、王妃を罵るように強制されたが、どうしてもそれができなかった。通りに引き出されて殺されたあと、衣服がはぎ取られ、体を裂いて内臓が引きずり出され、首が切断された。首は槍の穂先に突き刺され、マリー＝アントワネットに見せつけるためにタンプル塔までパリ市内を行進させられた。その首はわざわざ髪結師によってセットし直されていた。槍に突き刺されている首の口にワインを注ぎ、槍を伝って流れ落ちてくるワインを持ち手が飲むという馬鹿げた振る舞いもなされている。

残虐行為に狂奔したこの人々は、しかしながら、けっして異常犯罪者でもなければ、狂人でもなかった。サンソンに笞打ちの刑や焼き鏝の刑を食らったこともあるような常習犯罪者や浮浪者もまじってはいたけれども、商店主、職人・徒弟、労働者といったごく普通の人々が多かった。

当時の時代的雰囲気、という事情もある。われわれ現代人から見れば、この事件は異常な出来事でしかないが、革命前は車裂きや八つ裂きの刑を公開で行なうことによって国家の側が一般の人々に残虐行為の手本を見せていたのだし、革命勃発後も反革命の側によって何度も虐殺事件が起こされていたので、民衆には、自分たちにも報復として虐殺が許されるという意識があった。

虐殺は五日間つづき、千数百人の犠牲者が出た。

四月二十五日にギロチンがデビューしてからこの「九月虐殺事件」までに、ギロチンで処刑されたのはせいぜい二、三十人程度だった。その数十倍にもあたる人間がほんの数日間に無惨な殺され方をされたのであった。人道的処刑方法を見出すための、あの高尚な議論はいったいなんだったのだろう、とも思われてくる。

国会にも、パリ市にも、内閣にも、パニック状態に陥った民衆の暴走を止める力はなく、ただじっとして事態が鎮静化するのを待つしかなかった。[5]

こみあげるサンソンの怒り

シャルル－アンリ・サンソンは、ほんの数日の間に千人以上の人々が殺されるのを見た。

たしかに自分たち、自分と祖先の死刑執行人は、多くの人間を処刑してきた。しかし、それは裁判によって死刑の判決を受けた罪人であって、自分たちは職務を果たしてきただけだ。自分たちが手にかけた人々の中には無実の人もいただろうし、不当な裁判、間違った裁判の犠牲となった人もいただろう。しかし、自分たちがそれに異議を唱えることができるだろうか？　裁判は裁判所、裁判官の責任において行なわれるべきことであって、正しい判決がなされたかどうかは、自分たち死刑執行人の関知するところではない。自分たち

サンソン家紋章。サンソン SANSON とは SANS(……なしに)＋SON(音)であり、強いて日本の姓に訳せば「音無」さん。紋章は「鐘が破《わ》れて、音が出ない」ということを示している。

の職務は、下された判決を執行することだけだ。

自分たちはたくさんの人間を手にかけてきたが、個人的な激情にかられて人をあやめたことは一度としてない。「九月虐殺事件」に関与した人々には、祖国を、家族を守りたいという気持ちはあったかもしれない。そして、たしかに革命前の世の中は間違っていた。しかし、一時的な、個人的な激情にかられて暴走したことは否定できない。罪ある者も、罪のない者も、ひとからげにごちゃ混ぜにし、大勢の人間を虐殺した人々、この人々は、今まで、処刑台の上で平気で人を殺すといって自分たち一族を呪い、蔑み、忌避してきた人々だ。

自分たちは国王によって犯罪人を処罰することを委任された。しかし、勝手に大勢の人間を虐殺した人々は、何の資格があって人を死に至らしめたのか？　これまで自分たちに恥辱を投げつけてきたこれらの人々は、自分たち以上に恥辱に値するということをよく考えてみるべきだ！

サンソンは激しい怒りを感じた。しかし、どこに、怒りをぶっつけたらいいのだろうか？込み上げる怒りに身を震わせるしかなかったろう。

「九月虐殺事件」はもともとが、革命をつぶそうとする外国の軍隊によって自由の国土が踏みにじられ、生命や財産も脅かされるという恐怖心から惹起されたものだったので、九月二十日にマルヌ県のヴァルミー（国境からおよそ九十キロの地点）でフランス軍が勝利を収め、敵軍を押し返すと、国内の興奮状態もおさまった。

宣戦布告からヴァルミーの戦いまでの五ヵ月間は、フランスの負け続きだった。フランス軍は、組織はがたがた、装備はぼろぼろだったから、致し方なかった。革命政府は身分や学歴や年齢等にはいっさい関係なしに、とにかく軍人として優秀な者を将軍に登用するなどの方針を採用して、軍を思いきって国民軍的性格のものに改編していた。革命前は貴族しか将軍になれなかったが、これからは八百屋の息子であろうと馬丁の息子であろうと、能力さえあれば、だれでも将軍になれるようにしたのである。コルシカの貧乏貴族の出のナポレオンもこうして将軍に登用されることになるが、革命前であれば、良家の貴族の子弟たちに前を阻まれ、けっして頭角を現わすことはできなかっただろう。

軍を国民軍的性格に改編した成果が、ヴァルミーで初めて発揮されたのであった。もともとフランス軍の兵士たちの士気は、敵の貴族の指揮官たちもあきれるほどに高かった。革命の意気に燃える兵士たちは、理は自分たちの側にある、と確信していたからである。士気の高い兵士を実戦で鍛えられた優秀な将軍が指揮するということになれば、装備の不利を十分に補うことができたのである。

このヴァルミーの戦いは、ぼろの軍隊がヨーロッパ最高の軍隊に士気の高さで勝った戦いであり、プロシア軍に同行して戦いの一部始終を見たゲーテは「この日、この場所から、世界史

の新しい時代がはじまる」という言葉を残している。(6)

これ以降は、戦況はフランス軍に有利に展開し、ヴェルダンが十月八日に解放され、ロンウィも十月二十二日にフランスの手に戻る。兵士の能力が、生まれや身分ではなく、実力によって評価されるフランス軍は、他のヨーロッパ諸国の旧態依然たる貴族的軍隊よりも強かった。フランス革命によって生まれたこの国民軍的軍隊を引き継ぐナポレオンは、やがてはヨーロッパの覇者《はしゃ》となるのである。

フランスがヴァルミーで勝利を収めたその同じ日、世界史上初めて普通選挙で選ばれた国会、国民公会が初会合を開き、翌日、正式に王政廃止を宣言した。

国王の裁判

シャルル-アンリ・サンソンも、革命を喜びをもって迎えた一人だった。しかし、革命に対する熱意はすっかり冷えきっていた。

革命前の社会は多くの点で間違っていた。自分は、フランスが立憲君主国として生まれ変わることを願っていた。そして、実際にそうはなった。ところが、それでは終わらず、王政を廃止するところまできてしまった。

いったい、国王陛下が廃位されたあとで、自分の仕事になお意味があるのだろうか？　自分たち一族は、先祖代々、国王の委任を受け、国王に代わって罪人を処罰してきたのではなかったか？

たしかに、八月十日の王政倒壊以後は、「人間の平等」はより現実化した。これまで世間から除け者にされてきた自分たち死刑執行人にも市民権が認められ、地区集会に出席できるようになったし、国民衛兵隊の一員にも加えられた。自分たちをあからさまに毛嫌いする人も少なくなった。なにしろ、紙幣偽造で死刑になったコローのときのように、処刑執行にも進んで協力しようとする人が大勢出てくるようになったほどだから。

自分たちに侮蔑的な言葉が浴びせかけられたとき、以前は「あなた方は私のことを軽蔑しておいでだが、それなら、法律のことも軽蔑しているのですか？」と言い返すのがやっとだった。ギロチンに人々が喝采を送る今では、「あなた方が革命を起こしたのは、私一人のためみたいですな！」と言いたくなるほどだ。

自分たち死刑執行人一族が差別されるのは不当だ、なんとかしてもらいたい、とはずうっと思ってきた。それをことあるごとに訴えてきた。革命の世になって、自分たちの社会的地位が上昇し、人並みに扱われるようになったのは、これはいい。ところが、それに反比例するように、国王陛下の威信が低下の一途をたどるとは！　王政が廃止され、国王が無にも等しい存在になろうなどとは、夢にも思ったことがなかった。いったい、なんということだろう！

しかし、サンソンの嘆きにはおかまいなしに、革命はなお激化の一途をたどっていた。国王を裁判にかけるべきだという声が出はじめたのである。

王政倒壊から間もない、八月中旬頃から、国民を裏切ったルイ十六世は死に値するという意見が何人かのジャーナリストによって述べられていたが、この頃は、国民の大多数は、こうした意見を嫌っていた。しかし、プロシア軍とオーストリア軍のフランス領土内侵攻によって革命が脅かされたあとでは、世論の動向も大きく変わっていた。亡命したフランスの王党派貴族が外国の軍隊に多数加わっていることは広く知られており、これと呼応する国内の王党派に導かれて外国の軍隊がフランス領内に侵入してきたかのように人々には思われたのであった。

王政廃止が宣言された九月二十一日に僧侶出身のグレゴワールという議員が国会で行なった演説が、社会的雰囲気がすっかり変わってしまったことをよく物語っていた——「国王というものは、道徳的には、自然界における怪物のごときものである。宮廷というものは、犯罪の工房、腐敗の温床、暴虐者の巣窟である。諸国王の歴史は、諸国民の殉教の物語である」

国王の裁判をどうするかは国会にゆだねられた。王政倒壊後に普通選挙で選ばれた国民公会は、王党派は完全に駆逐され、有力な革命家がずらりと顔をそろえる強力な議会だった。

国民公会では、ジロンド派と山岳派が対決する。前議会（立法議会）にひきつづいて多数派を握ったジロンド派はこれ以上の革命の急進化を防止するために国王の裁判をできるだけ先送りしようとし、革命の完遂を目指す山岳派はできるだけ早く裁判にこぎつけようとしていた。山岳派議員のほとんどはこれまでもジロンド派と革命の主導権争いをしてきたジャコバン派だが、議場の奥の高いところに座っていたので、こう呼ばれるようになった。両派の間には平原派（あるいは、沼派）と呼ばれる日和見主義的な集団があり、議場の前の方、低いところに座っていたのでこうした呼び名がついたのだが、数からいえばこの派の議員がいちばん多かった。

日和見的とはいえ、大部分が第三身分出身の平原派の議員にとっても、また貴族の尻に敷かれるのはまっぴら御免、革命の成果はなんとしても守るべきものだった。平原派は最初はジロンド派の側についていたが、国王には憲法で「不可侵性」が保障されているとか、国民の裁断を仰ぐべきだとか言う守勢一方のジロンド派の革命指導能力に疑問を抱きはじめ、国会の議論をリードする山岳派に影響されるようになる。

とくに、ジャコバン派のサン＝ジュストが十一月十三日に行なった演説が、国王裁判の行方を決定づけた。サン＝ジュストは二十五歳、最年少議員で、国会の演壇に立つのはこの日が初めてだった。

「後世の人々は、十八世紀の人々がシーザー（カエサル）の時代よりもかえって後れていることに驚くことだろう。ローマ帝国の時代には、暴君は元老院のただ中で、短刀で二十三回刺すということ以外のいかなる手続きにもよらず、ローマの自由ということ以外のいかなる法にももとづかずに屠《ほふ》られた。ところが今日、犯罪の最中に手が血まみれの状態で現行犯逮捕された国民の暗殺者に対して、人々は、うやうやしく訴訟を行なっている！……

いかなる幻想、いかなる慣習を身にまとっていようとも、王政はそれ自体が永遠の犯罪であり、この犯罪に対しては、人間は、立ち上がって武装する権利を持っている。王政は、一国民全体の無知蒙昧さによってでも正当化され得ない不法行為の一つである。そういう国民は、王政容認という実例を示したがゆえに、自然に背いた罪人なのである。すべての人間は、いかなる国においてであれ、国王の支配を根絶すべき秘密の使命を自然から受けている。

人は罪なくして国王たりえない。これは、明々白々なことである。国王というものは、すべて反逆者であり、簒奪《さんだつ》者である」

最初は若造がしゃしゃり出てきたと、冷やかし半分で見ていた議員たちの心にサン＝ジュストの言葉は短剣のように突き刺さり、その大胆さに議員たちは声もなかった。

チュイルリー宮殿の隠し戸棚から国王が戦争中の敵国と通じていたことを示す証拠が発見されたのは、この一週間後だった。

この鉄製の隠し戸棚は、ルイ十六世が錠前師のガマンと共同で製作したものだった。ただ一人の愛人も持たない王様も珍しいが、鉄製の戸棚を自分で作れる王様はもっと珍しい。ガマンは錠前作りを趣味にしていたルイ十六世の師匠にあたる人物で、ルイ十六世に頼まれて宮殿内の工房で一緒に隠し戸棚を作ったのは「ヴァレンヌ逃亡事件」前のことだった。その後、チュイルリー宮殿が革命政府によって管理され、国王の裁判も問題にされるようになって、隠し戸棚が見つかった場合のことを考えると、ガマンは仕事も手につかず、食事も喉を通らないほど不安でたまらなくなった。何度も何度も迷った末に内務大臣ロランに面会を求め、いっさいを告白したのであった。

国王の裏切りを示す確たる証拠が見つかったことにより、裁判への流れが加速された。ジャコバン派の最高指導者ロベスピエールは、十二月三日に国会で演説を行ない、サン＝ジュストの意見を補完した。

「それゆえに、今からはっきりと決めておこうではないか。行なわれるべきは、裁判ではなくして、国家の安全のための措置、国民的摂理である、と。ルイは死ななければならない、なぜなら祖国が生きなければならないからだ……。国民に対する裏切り者、人類に対する犯罪者と宣言された国王は、八月十日に自由の殉教者たちが死んだその場所で死ななければならない」（「自由の殉教者たち」とは、王政倒壊の日にチュイルリー宮殿でスイス傭兵の銃弾に倒れた市民たちのこと）

十二月十一日、国民公会で議長バレールのもと、ルイ十六世の裁判が開始された。

国会での国王の裁判は、普通の裁判とだいたい同じ手順で進められた。まず論告があり、ルイ十六世の罪とされる行為が列挙され、議場に召喚された国王本人に対して尋問がなされた。三人の弁護人による弁論も行なわれ、国王にも弁明の機会が与えられた（十二月二十六日）。

革命家たちから見れば、「ヴァレンヌ逃亡事件」にしても、外国軍を国内に呼び寄せようとしたことにしても、国王は口では革命を支持すると言いつつ、二枚舌を使って国民を欺いていたことになる。

しかし、ルイ十六世の側から見れば、事情はまったく違ってくる。まず、ルイ十六世は、国というものは自分たちが好きにしていい、王家の私有財産だという感覚の中で育った。したがって、国は国民のものだと主張し、自分たちの行動に制約を加えようとする革命家たちは小《こ》うるさい存在でしかないから、逃げたくもなる。そして、もともとヨーロッパの諸王家は多かれ少なかれお互いに縁戚関係にあり、戦争中の敵国といっても、オーストリアのハプスブルク家はマリー＝アントワネットの実家なのだから、ルイ十六世は妻の実家に援助を求めたにすぎなかった。

ルイ十六世としては王政の伝統、「国家的理由」に従って行動してきただけだった。二枚舌を使おうと使うまいと、国家の安全を守るということが何よりも優先する。そして、ルイ十六世にとっては、当然ながら「王政の安全」＝「国家の安全」だった。君主として自分の義務と信ずることを実行してきただけなのだから、ルイ十六世は自分は潔白だと確信していた。

しかし、革命が追及していたのは、一国の国民の運命を私物化しようという、こうした考え方なのであった。革命にとって、これは正義に反する考えであり、国王であったという、そのことこそが、まさに罪とされているのであった。

運命の判決下る

なんとか国王の死を回避しようとするジロンド派と、是が非でも国王の死を望む山岳派との間で熾烈な論戦が繰り広げられたが、年が改まった一七九三年の一月十五日、裁判の審理は終わり、次の三点が議決にかけられた。

国王は有罪か？

国会の決定は国民の裁可を受けるべきか？

どんな刑を科すべきか？

まず、全会一致でルイは有罪と宣告された（棄権が三七票）。「国民の裁可」は四二六対二七八で否決された。「国民の裁可」が可決されれば、全国四万四千の市町村で民衆集会が開催され、結論が出るまでに数ヵ月を要することになるから、これは問題先送りが退けられたことを意味する。

翌十六日夜八時からどんな刑を科すべきかについての投票が行なわれた。一人ひとりの議員が名前を呼ばれ、登壇して意見を述べた。延々夜を徹して行なわれ、さらに翌日も丸一日がかりだった。死刑にすべしという者三八七名、追放・幽閉等の他の刑にすべしという者三三四名であった。ジロンド派の何人かは死刑賛成に回っていた。

死刑賛成票が過半数を超えていた。投票結果はにわかには信じがたいことだったので、もう一度数え直された。しかし、間違いはなかった。ジロンド派と山岳派の死闘において、山岳派が勝利を収めたのである。

この日議長をしていたヴェルニオ（ジロンド派）が苦しげな口調で言った——「国民公会の名において宣言する。国民公会がルイ・カペーに対して宣告する刑は死刑である」

ブルボン家はカペー家から出た傍系であるため、国王を廃位されたルイ十六世は「ルイ・カペー」と呼ばれることになっていた。

一見、五三票差で死刑が決まったように見えるが、死刑賛成票の中には執行猶予付き賛成が二六票あった。「執行猶予付き」というのは事実上は死刑反対と同じだから、賛成票からこの二六票を引き、これを反対票に加えれば、三六一対三六〇となり、実際にはわずか一票差で死刑に決まったのであった。

しかし、これで、死刑が確定したわけではなかった。刑の執行を猶予するという案件がまだ残されていた。

一月十九日、この案件が投票にかけられたが、投票総数六九〇票、反対三八〇票で否決されてしまった。これで、ルイ十六世の死刑が確定した。采は投げられたのである。(7)

国王が神聖な存在であった時代は終わり、代わって、国民が神聖な存在である時代がはじまろうとしていた。かつて国王の権力が史上もっとも強大であった絶対主義全盛の時代に、太陽王ルイ十四世は「朕は国家なり」と豪語した。これからは「国民こそ国家なり」でなければならなかった。新しい神々は、古い神の死を求める。新しい革命の世は、かつて神聖であった存在を生《い》け贄《にえ》にささげることによってしか確固としたものにならない、と人々は考えたのであった。そして、旧体制下のさまざまな弊害によって苦しめられてきた民衆が血の代償を求めるという風潮も依然として強かった。

ルイ十六世は、不運にも、国というものが「王家のもの」から「国民のもの」になろうとする世界史的な大転換期にたまたま遭遇してしまったのであった。

「国王の子は国王に、処刑人の子は処刑人になる」――王家においても、処刑人の家でも、世襲制が厳格に守られてきた。違いは、国王は社会の頂点に位置し、処刑人は社会の最底辺に位置するということだった。この上下関係が覆ることは絶対にあり得ない……はずだった。

その国王が処刑人に、ついに、一介の死刑囚として身柄をゆだねることになってしまった。

第四章　前国王ルイ・カペーの処刑

煩悶の夜

ルイ十六世の死刑判決が確定したと聞いて、だれよりも驚き慌て、気が動転したのは、シャルル‐アンリ・サンソンであったろう。刑の執行猶予が否決されたことを、翌二十日の朝になって知った。まだなんとかなると一縷《いちる》の希望をかけていたのに、それが無惨にも断ち切られてしまった。

国王陛下が死刑に？

なんということだ！

だが、いったいだれが、国王陛下を処刑するのか？

自分ではないか！

この一月二十日は、シャルル‐アンリの二十八回目の結婚記念日であり、また妻マリー‐アンヌの誕生日でもあった。マリー‐アンヌはこの日を楽しみにして、何日も前から祝いの準備をしていた。シャルル‐アンリはせっかくの妻の楽しみを台無しにしたくはなかった。国王処刑のことは、少なくとも今日の間は、妻には絶対知られてはならない――シャルル‐アンリは、助手や同居者たちに細心の注意をはらうよう、厳しく申し渡した。しかし、シャルル‐アンリ自身、妻から声をかけられてもぼんやりとして気がつかなかったりして、内心の苦悩を妻に悟られないようにするのに大変な努力がいった。

シャルル－アンリは、気持ちが落ち着かず、家でじっとしていることができなかったので、情報を集めるために街に出た。午前中にパレ－ロワイヤルのレストランで、国王の死刑に賛成票を投じた国会議員ル・ペルチエ・ド・サン－ファルジョが王党派に暗殺されたというニュースを知った。国王が死にそなえて心の準備をしたいからと三日の猶予を求めたのに対し、国会がこれを拒否したことも知った。わずかに国王に与えられた特典といえば、カトリックの神父が刑場までつき添うことが許可されたことぐらいだった。国会の議場周辺で集めた情報から、死刑が翌日執行されることは疑いなかった。

シャルル－アンリは絶望に圧《お》しひしがれて家に帰ってきた。

留守の間に何人もの人間がやってきて、なんとかサンソン氏と話ができないものかと執拗《しつよう》にねばったということだった。手紙が何通も来ていた。

その中の一通が国王の死刑執行命令書で、「明朝八時に待機せよ」と書かれていたが、詳細はなにも記されていず、これではどこでどうすればいいのか、まったくわからなかった。

シャルル－アンリはとりあえず、国王の処刑がどのような手続きをへて行なわれるのか、役所に書面で問い合わせた。

ルイがタンプル塔からどのような形で出発するのかを私が知っておくことは、絶対的に必要です。特別の馬車が用意されるのでしょうか、それとも、この種の刑の際に使用される普通の馬車に乗るのでしょうか？　執行後、遺骸はどうなるのでしょうか？　命令書には八時に待機せよとありますが、私か助手が八時にタンプル塔にいなければならないのでしょうか？　タンプル塔からルイを連行するのが私でない場合は、私はどの場所のどこに待機していればいいのでしょうか[1]？

　ほかの手紙の大部分は差出人の名前のないもので、内容はだいたい「処刑場へ向かう途中で国王を救出する準備ができている。少しでも抵抗すれば命はないと思え」といった脅迫状だった。しかし、同じ王党派からの手紙でも、中には逆に、国王の解放に協力してくれるようにサンソンに懇願する手紙もあった。群衆の中に紛れ込んだ決死の覚悟の者たちが処刑台の上から国王を救出するので、時間稼ぎをして処刑を引き延ばしてほしい、できれば救出に加わってほしい、と。

　サンソンは、四年半前の「ヴェルサイユ死刑囚解放事件」のことを思い浮かべた。あのときは処刑場全体が死刑囚の味方になり、処刑台の上から見事に救出された死刑囚に恩赦が与えられた。その恩赦を与えたのがルイ十六世だったのだが……。もし、群衆の間に国王に対する共感が広がれば、あるいはうまくゆくかもしれない、とサンソンは思った。

長いトンネルの奥にうっすらと仄白い光が見えるような、そんな希望の灯火がサンソンの心に浮かび上がってきた。

ほんの少しだけ心が軽くなったサンソンは、妻の様子が気になった。食堂に行ってみると、花、果物、菓子類がきれいに飾りつけられ、結婚記念日祝いの用意がすっかりなされていた。マリー＝アンヌはまだ国王処刑のことを知らず、予定どおりにお祝いしようとしているのだった。

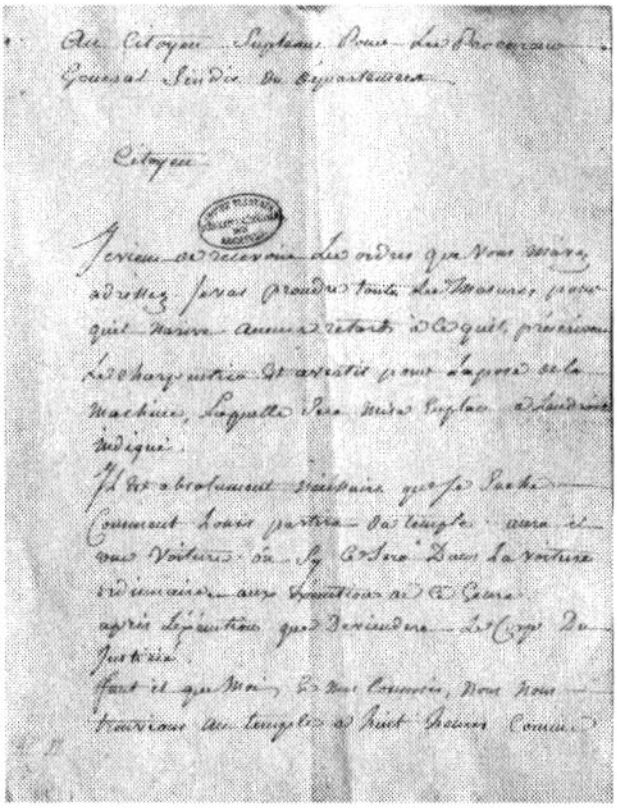
国王の処刑執行について問い合わせるサンソンの手紙

せめて今晩だけでも、妻には知られないままにすめばいいのだが、とサンソンは思った。ちょうどそのとき、妻の部屋のほうから助けを求める男の叫び声が聞こえてきた。
サンソンが妻の部屋に飛んでいってみると、中に息子のアンリと見知らぬ若い男がおり、妻が気を失って床に倒れていた。
この若い男は、サンソンが帰宅する直前に

家にやってきてサンソンに面会を求めたのだが、留守だったので代わりにアンリに面会することを求めた。アンリも外出していたのだが、シャルル－アンリよりも先に帰宅していた。男はサンソン夫人の部屋にいたアンリのところに通され、サンソン夫人がいるところで国王救出計画の話を切り出したため、国王の死刑が明日に迫っていることを突然知らされたサンソン夫人は、驚きのあまり気を失ってしまったのであった。

この若い男の計画とは、死刑台の上で自分が国王の身代わりになりたい、というものだった。国王と同じ服を着て処刑台近くに待機し、群衆の目を盗んで国王と入れ替わり、自分が身代わりになって処刑されたい、だから国王と同じ服を用意してもらえないか、と若者は言うのだった。

若者の国王への思いは真剣なものではあったが、こんな計画は話にもならない、とサンソンは思った。大勢の群衆の目の前で入れ替わるのはとうてい無理であることを説明し、神様がほかの道を用意してくれることを期待しましょうと言って、若者にお引き取りを願った。

とにかく、これで、国王の処刑が明日だということがマリー－アンヌに知られてしまった。知られてしまったからには、お祝いをするのはもう無理だった。食堂のテーブルの上が片づけられた。

役所から問い合わせの返事が届いた。夜の間に処刑台を組み立て、処刑台のところで翌朝八時から待機しているように、と書かれていた。普通は、サンソンが牢獄まで死刑囚を迎えにいき、荷車のような粗末な馬車に囚人と一緒に乗って処刑場にやってくるのだが、今回は立派な有蓋馬車（税務大臣クラヴィエールの馬車）が用意され、パリ市の責任において前国王が処刑場まで連行されるのだという。こうした措置が取られたのは、前国王への敬意ということもあるが、王党派による国王救出計画に対する備えでもあった。前国王の処刑は特別な意味を持つものだったので、これまでとは違って、処刑も革命広場（現在のコンコルド広場）で執行されるとのことだった。革命広場はグレーヴ広場やカルーゼル広場よりもずっと広く、警備がしやすいという利点もあったが、処刑台にあがった前国王の目にチュイルリー宮殿が映る場所ということで、ここが選ばれたのだった。前国王は王政が犯した数々の罪を想起しつつ死ぬべきだ、というのであった。革命広場はチュイルリー庭園に面し、庭園の奥にチュイルリー宮殿を望むことができた。ギロチンの向きをそのように設置するよう、命令書にも指示されていた。

夕食の時間になっていたが、家族のだれも食事などする気にならなかった。

国王の処刑を知って気を失ったマリー＝アンヌだったが、落ち着きを取り戻してから食堂に入っていった。革命後、カトリック信仰が禁止されたあとも、サンソン家では、シャルル＝アンリとマリー＝アンヌの結婚以来の習慣、朝晩二度一家そろってお祈りする習慣が守られてきた。食堂が礼拝堂を兼ね、食堂の壁に象牙製の大きなイエス・キリストの磔刑像があり、その像の下に祈禱台が備え付けになっていた。マリー＝アンヌは祈禱台の上に倒れ伏し、国王のために熱心に祈りをささげた。

マリー＝アンヌの祈りは、ずうっと一晩中つづいた。家の中は静まりかえり、彼女の耳に届く物音といえば、隣室で行ったり来たりしている夫が床板をきしらせる音だけだった。

処刑を回避する方法はないものか

シャルル＝アンリが病気の父親の跡を引き継いで処刑執行を手がけるようになってから、四十年近くになる。これまでは、自分の職務は犯罪人を社会のために罰する正義の行為だと自分に言い聞かせ、そう自分に信じ込ませてきた。そうでなければ、死刑執行人としての尊厳を保ち、世間の偏見と闘えるものではなかった。

「しかし」とシャルル＝アンリは自問自答した。「国王陛下は、犯罪人か？——断じて、違う」

国王の処刑という事態に直面して、自分の仕事に対する正当性の確信が根底から揺らいでしまった。

ラリー＝トランダル将軍とラ・バール騎士のときも、とても犯罪人とは思えなかった。むしろ、あの二人には共感と敬意を感じたものだった。今にして思えば、ラリー＝トランダル将軍の処刑に失敗したのも、犯罪人を罰するという確信が持てなかったからかもしれない。ラ・バール騎士に対してはなんとか気持ちを立て直すことができたが……。

どんなにつらくとも、職務のためには個人的感情を殺し、無にするというのが死刑執行人の第一の心得だが、シャルル－アンリにとって、当然ながら、国王はあの二人とはまた別な、特別の存在だった。

たしかに革命前の社会にはあまりにも多くの弊害がありすぎた。まったくなんの労働もせず贅沢三昧の生活を送る大貴族がいるかと思えば、額に汗して作った麦をすべて年貢に取られ、その一粒すら口に入れることができない農民がいた。しかも、食うや食わずの貧乏人からは厳しく税金を取り立てておいて、金のあり余っている大貴族は税金をいっさい払わなくてもいいというのは、どう考えてもおかしかった。そして、国民の二パーセントにもならない特権階級が国を壟断《ろうだん》し、残り九十八パーセントの一般市民が蚊帳《かや》の外に置かれるというのもおかしかった。軍隊でも役所でも、大貴族なら無能でもどんどん出世し、一般庶民はどんなに能力があり、立派な仕事をしても上に行けないというのもおかしかった。

革命はたしかに起こらなければならなかった。

だが、なぜ、王政を廃止しなければならなかったのだろう？　ルイ十六世陛下は国をよくしようとしていたのだから、新たに憲法を定め、国王と国民が一丸となって新しい社会を築く、これで十分だった。それは、国王もミスは犯しただろう。あの「ヴァレンヌ逃亡事件」など、まったくの誤りだった。しかし、過去のしがらみにとらわれた中で、国王も精一杯の努力はしていた。

王政廃止だけではあきたらず、国王陛下に死刑の判決を下すとは！　なんということだろう！　国王が敵国と内通し、フランスを危険にさらす恐れがあるというのなら、戦争終了時まで幽閉すればいいではないか。それで、国王と外国との連絡は絶つことができるはずだ。実際、そういう意見の国会議員も多かった。

国王陛下を死刑にするなどということは、越えてはならない一線を越えてしまうこと、取り返しのつかないことだ。こんなことでは、この先、さらなる混乱が生じ、フランスは滅茶滅茶になってしまうのではないだろうか？　現に今でも、「九月虐殺事件」に見られるように、無政府状態の兆候がある。国王という存在があってこそ、国は安定し、改革も順調に進もうというものだ。

革命は、あきらかに、行き過ぎてしまった。

それに、自分たちの職務は国王から委任されたものではないか。われわれは先祖代々、国王に代わって犯罪を罰してきたのだ。自分の死刑執行人叙任状も、ルイ十六世陛下の名によって出されたものだ。

国王陛下に手をかけるなど、とんでもないことだ。

どうしたらいいのだろうか？

いっそのこと、どこかへ逃げようか？

しかし、職務放棄をしたのでは、サンソン家の名誉に傷がつき、ご先祖様に申し訳が立たない。残された家族も無事ではすむまい。自分がいないのでは、処刑場での段取りにも、いろいろと不都合、不手際が生じるだろう……。

シャルル－アンリは部屋の中を行ったり来たりしながら、どうすればいいかを懸命に考えたが、頭の中は体の動きと同じく堂々巡りをするばかりで、なんの解決策も浮かんでこなかった。ただ時間だけは確実に過ぎていき、朝が近づいていた。

シャルル－アンリの希望をわずかにつないだのは、国王救出計画の噂だった。参加者は三千人とも言われていた。――三千人もいれば、十分になんとかなる。国王救出の計画がある以上、どこかに逃げたりすれば、それはたんなる職務放棄にとどまらず、敵前逃亡に相当する恥ずべき行為にもなる。処刑台の近くにいれば、もし刑場の革命広場が騒乱状態になった場合、自分も国王の救出に一役買うこともできるのだから……。

二度ルイ十六世に会い、親しく言葉をかわして人柄をよく知っているので、シャルル－アンリは立憲君主主義者として国王を敬愛していただけでなく、個人的にも国王のことが好きだった。

処刑の朝

シャルル－アンリは、とうとう一睡もできなかった。

夜が明けると、太鼓の音がパリの街中に轟き渡った。国王の処刑にそなえて混乱を防止するため、パリ四十八地区すべての国民衛兵隊から一大隊ずつ警護の兵を出すことになっていて、その召集を告げる太鼓だった。国民衛兵隊の士官をしている息子のアンリは、警護隊に加わることになっていた。シャルル－アンリの二人の弟、マルタンとシャルルマーニュが、急を聞いて兄を助けるために駆けつけてきていた。二人とも、地方都市の死刑執行人をしていた。

みなが家を出ようとしたとき、マリー－アンヌが泣き崩れて夫にすがりついた。彼女も今では国王救出のさまざまな噂が流れていることを知っていた。この一日がどのような成り行きをたどるにせよ、とても夫が無事ではすむまいと彼女には思われるのだった。夫の考え、気持ちを知りつくしているマリー－アンヌにとって、処刑の日に夫を送り出すのはいつもつらいことだったが、この日はことのほかつらかった。夫を戦場に送り出すような気分だった。

なんとか妻の腕をふりほどき、シャルル－アンリは息子と弟二人と一緒に家を出た。

寒い朝だった。深い靄《もや》がたちこめていた。積もっていた雪の上に前夜雨が降ったため、道がぬかるんでいた。国民衛兵隊と合流する息子と別れ、シャルル－アンリは弟たちと辻馬車に乗った。「妻とも息子とも、もう二度と会えようとは思えなかった」とシャルル－アンリは『日誌』に記している。[2]

国王の処刑はフランス全土を揺るがす大事件であり、みなが刻一刻と事態の推移を見守っていたので、大勢の人々の証言が残されることになったが、それらの証言はたがいに少しずつ食い違っている。ここでは、シャルル－アンリの『日誌』に準拠し、アレクサンドル・デュマの『九三年のドラマ』で一部補足しつつ、処刑の朝の模様をたどってゆきたいと思う。[3]

道が群衆でごった返していたため、シャルル－アンリらが乗った辻馬車はゆっくりとしか進めず、処刑場の革命広場に着いた時には九時近くになっていた。刑の執行予定時間は十時だった。

処刑台の組み立て作業には前夜のうちから助手たちがとりかかっており、すでに完了していた。深紅のギロチンが処刑台の上にそびえ立っていた。いつもなら、絶対に処刑に支障をきたすことがないように念入りに機械を点検するのだが、この日はそんな気にはならず、ほんの一《いち》瞥《べつ》をくれただけだった。「きっと、今日は、機械を使わずにすむ」というシャルル－アンリの期待感は、それほどに大きかった。

シャルル－アンリと二人の弟は完全武装していた。剣と短刀のほか、それぞれ四挺《ちょう》のピストルをベルトに挟み、その上から厚手のコートを着、首のところまできっちりとボタンをかけていた。ポケットには、入れられるだけの弾丸と火薬を詰め込んでいた。処刑台の上で国王救出計画が実行された場合は、あらゆる手段を使って国王陛下のために逃げ道を切り開こう、と三人で話し合っていた。

処刑台のすぐ近くには数門の大砲が要所要所に配置され、その外側を国民衛兵隊やマルセイユ連盟兵団の兵士たちが何重もの隊列で固め、十万人にものぼろうかと思われる観衆は奥の方に追いやられたような感じだった。兵士たちの銃には銃剣が装備され、処刑台は林立する銃剣と槍にぐるりと取り囲まれていた。

シャルル－アンリは目で息子をさがした。息子は処刑台のすぐ近くで警備についていた。息子と目が合った。その目は、最悪の事態は避けられるだろうと父親を励まし、いったんことが起こった場合は自分も一役買う覚悟だと告げていた。

国王を乗せた馬車は、マドレーヌ墓地に通じる道から革命広場に入ってくることになっていた。シャルル－アンリがちらちらとそちらのほうに目をやっていたとき、雲の裂け目から一月の弱い陽射しが差した。シャルル－アンリは少し耳をすましてみた。国王救出計画が実行に移され、銃を撃ち合う戦闘の音でも聞こえてきはしないものかと思ったのである。ひょっとすると、もう計画は実施され、すでに国王は安全な場所に向かっているのではあるまいか、とふとサンソンは思った。忠誠な者たちに取り囲まれて落ち延びてゆく国王の姿が目に浮かびさえした。

規則正しい蹄の音で、サンソンの夢想は、突然、打ち切られた。

抜き身のサーベルを手にして馬にまたがった国民衛兵隊司令官サンテールの姿が広場に現われ、そのあとに騎兵の一隊がつづいていた。それから二頭立ての深緑色の馬車が広場に入ってきた。馬車を先導する騎兵は約百人、馬車の周囲は千人以上の騎兵によって警護され、その後ろに少し間をおいてさらに百人ほどの後衛騎兵部隊がつづいていた。

馬車が処刑台の傍らに止まった。

十時を少し過ぎていた。

馬車の中に国王陛下が乗っておられるのだと思うと、シャルル－アンリの全身が震えた。息子を見やると、顔が真っ青だった。

馬車のドアが開き、まず、二人の憲兵が、次に神父が、そして最後にルイ十六世が馬車から降りてきた。

国王との三度目の出会い

シャルル－アンリが国王に会うのは、これで三度目である。最初はまだ革命が本格化する前の一七八九年四月、ヴェルサイユ宮殿で。二度目は、すでに軟禁状態にあったチュイルリー宮殿で去年の三月に。そして今、「ルイ・カペー」と呼ばれる一人の死刑囚としての国王に会うことになった。

国王の態度、表情には、取り乱したところも、気落ちしたところもまったくなかった。前夜、夕食の時、テーブルの上にナイフとフォークが用意されていないのを見て、ルイ十六世は「自殺を図るほど、私が意気地がない人間だと思っているのか？」と語ったという(4)。ルイ十六世はすでに、どんな情況になろうとも、それに確固として正面から立ち向かう腹を固めていたのであった。

冷静に事態に対処する力を国王は宗教から引き出しているにちがいない、とシャルル－アンリには思われた。あるいは、後に人々が噂したように、ルイ十六世は最後には自分は救出されることになると確信していたのだろうか？　それとも、みずから側近に語っていたように、たとえ処刑されようとも「フランスで国王が死ぬことはない」という信念を抱きつづけていたのだろうか？

いずれにしても、処刑場に姿を現わしたルイ十六世は、落ち着きはらい、堂々としたものだった。シャルル－アンリには、殉教者の刻印をおびた国王は、むしろ前よりもずっと尊厳にあふれているようにさえ見えた。

ルイ十六世は善意の国王だった。国民の幸せを願い、国をよくしたいと真剣に考えていた。だから最初は《自由と平等》の革命の原則にも賛成した。しかし、王政の伝統的考えからも、自分は特別な存在だという思いからも、抜け出ることができなかった。もし、ルイ十六世が、自分が損な立場になるのだけは絶対嫌だという利己主義の塊《かたまり》のような人間であったなら、革命初期に軍隊を使って徹底的な弾圧・虐殺を行ない、革命の芽を摘み取ってしまうことも十分に可能だった。しかし、ルイ十六世にはそれはできなかったし、そうする気もなかった。善意の国王だからである。それに、たとえルイ十六世が強硬苛烈な弾圧策を駆使して革命をつぶしたとしても、革命はいつかは起こるべきものなのだから、革命の危機を息子の代に先送りすることにしかならなかっただろう。

ルイ十六世は遺言書の中で、まだ幼い息子にこう語っていた――「もし不幸にして息子が国王になることがあるならば、同胞の幸せのために自分のすべてをささげなければならないということに思いを致すように。そしてまた、あらゆる憎しみ、恨みの気持ち、とくに今の私の不幸と悲しみに関わりがあるすべてを忘れなければならないということに思いを致すように、くれぐれも言っておきたい(5)」

国民の幸せを真摯《しんし》に願いながらも力およばなかった善意の国王が、千数百年間つづいてきた王政の悪弊の責任を一身に負わされ、「ルイ・カペー」として処刑されることになった。そして、その刑の執行を担当するのが、国王を敬愛してやまないシャルル－アンリ・サンソンなのであった。片や王家に生まれ、片や処刑人の家に生まれたがゆえに、こんな形で邂逅《かいこう》することになってしまった。社会の頂点と最底辺という、対照的な環境に生まれた二人だが、長くつづいた家系の伝統という呪縛から逃れられないという点では、二人には共通するものがあった。

国王が処刑台の階段のほうへ歩み寄ってくるのを見て、シャルル－アンリは絶望感に襲われた。シャルル－アンリは処刑台の周囲を見渡した。処刑台は幾重もの兵士たちによってびっしりと取り囲まれていた。兵士たちの後ろに追いやられた感じの十万の群衆は、この場の雰囲気に圧倒され、陰気に静まりかえっていた。

太鼓の流し打ちの音だけが広場に轟いていた。

国王を救出する決死の者たちは、いったい、どこにいるのか？

処刑台の上で、シャルル－アンリとシャルルマーニュは茫然自失として、なんの行動も取れないでいた。シャルル－アンリのすぐ下の弟マルタンにはまだ余力が残っていた。マルタンは処刑台の下にいる国王の前に進み出て、帽子を取って丁寧に挨拶し、上着を脱がなければなりませんと国王に告げた。

「それは無駄なことだ。このままでもできるはずだ」

と国王は答えた。

マルタンが、上着を脱ぐ必要があることを繰り返し説明して、手を縛ることも欠かせない旨を告げた。手を縛るということが国王の気持ちを傷つけた。

「なんですって、あなたは私の体に手を触れようというのですか！　ほら、上着は渡します。でも、私にはさわらないでください！」

シャルルマーニュが見かねて、マルタンを助けにゆくために処刑台を下りた。シャルルマーニュは非常に話しにくそうにしていたが、勇を鼓して、半分涙声になりながら国王に言った。

「これは絶対的に必要なことです。そうでないと執行ができません」

シャルル－アンリも、なにもしないでいるわけにはいかなくなった。絶望感に圧倒されて感覚が麻痺し、何が何やらよくわからないような状態だったが、習慣と職務観念によって突き動かされた。

シャルル－アンリは神父のところに行き、身をかがめ、耳元でささやいた。

「神父様、手を縛られることを受け入れるように言ってください。お願いです。手を縛るのに時間をかけます。そのような光景が人々の心を動かさないはずがありません」

神父は、驚きと不信とあきらめのまじった目でサンソンを見た。神父はカトリックの制服を着ていたが、これは普段は禁止されており、今回だけ特例として認められたものだった。

神父は意を決したようだった。

「陛下、この最後の試練をお受け入れなさいませ。それによって陛下はさらに神に近づき、神はかならずや報いてくださるでしょう」

神父に説得されて、国王はみずから手を後ろに回した。サンソンの二人の助手によって後ろ手に縛られている間、国王は神父の差し出すキリスト像に口づけしていた。それから、ギロチンの刃の妨げにならないように、髪が短く刈り込まれ、シャツの襟元が大きくあけられた。

茫然自失の状態に陥りながらも、シャルル－アンリは、手を縛られた国王の姿を目にすれば、群衆の間からなんらかの反応が起こってくるはずだ、と漠然と考えていた。

シャルル－アンリは群衆の気持ちが大きく変わりやすいものであることを経験から知っていた。一瞬前までは死刑囚を嘲り、罵っていた群衆でも、ちょっとしたことがきっかけで急に死刑囚に同情したり、共感したりするものなのだ。たしかに処刑台の周りは何重にも警護の兵士で固められている。しかし、兵士たちの中にだって国王を救いたいと思っている者はかなりいるのだ。息子のアンリのように。もし群衆の間から、同情の声、憤激の声が起こってくれば、それを合図に決死の者たちが飛び出し、それに大勢の群衆がつづくだろう。そうなれば、自分だって……。

シャルル－アンリは「ヴェルサイユ死刑囚解放事件」の再現を願っていた。

現場監督の任を負う士官たちがシャルル－アンリたちを促した。中には「早くやれ！」とピストルで脅す者もいた。

　国王が神父に支えられながら、処刑台の急な階段をゆっくりとあがってゆくのを、シャルル－アンリはまるで夢の中の出来事でもあるかのようにぼんやりと眺めていた。

　後ろ手に縛られ、シャツの襟を切り裂かれて首がむき出しになった国王の姿を見て、広い革命広場を埋める群衆の間から同情の声、嘆きの声があがった。しかし、それはちらほらとであり、そして、それだけのことだった。

　太鼓の音だけが地獄のように鳴り轟いていた。

　処刑台の上に立った国王は、群衆に語りかけようとしていた。国王が楽隊のほうに強く頭を振ってみせると、太鼓の音がぴたりとやんだ。

「フランス人よ、あなた方の国王は、今まさにあなた方のために死のうとしている。私の血が、あなた方の幸福を確固としたものにしますように。私は、罪なくして死ぬ」

　よく通る声だった。国王はさらに言葉をつづけようとしたが、指揮官が「打ち方、はじめ！」の号令をかけ、ふたたび太鼓の音が辺りを圧したため、それ以上は言いつづけることができなかった。

　国王はギロチンの横板の上に据えられ、身体を固定され、そして、三角形の銀色の金属の刃が二本の深紅の木の腕の間を滑り落ちた。

革命広場（現在のコンコルド広場）で行なわれた、ルイ十六世の処刑

国王の首が助手によって群衆に示されるのを、シャルル－アンリはただただ呆然として見ていた——なんということだ、なにも起こらなかったとは！　決然とした男が千人もいれば、救出できたのに！

シャルル－アンリがあとで知ったことだが、国王救出計画は、たしかに二つのグループによって実行に移されはしたのである。しかし、人数が数人から十数人程度だったので、どちらもすぐに取り押さえられてしまったのであった。

ルイ十六世の遺骸は、すぐ近くのマドレーヌ墓地に運ばれ、前日に掘られていた大きな共同の墓穴の中に下ろされた。遺骸の上には大量の生石灰《せいせっかい》がかけられた。

「パリの革命」という新聞に次のような記

事が出る。

法の剣によって流されたカペーの血は、われわれを千三百年間の汚辱から洗い落とした。われわれが、やっと真の意味での共和主義者となり、近隣諸国に対してわれわれを模範として引き合いに出す権利を勝ち得たのは、二十一日の月曜日以来のことである。(6)

これが国王の処刑直後に革命家たちが感じたごく一般的な考えであったろうが、「法の剣」を操ることを強いられた当人の気持ちはそれどころではなく、心が乱れに乱れていた。

町はずれのあばら屋

前年八月十日の王政倒壊の日にサンソン家に逃げ込んできたシェノーは、それ以来サンソン家に居候していた(シェノーは革命終息後もサンソン家にとどまり、サンソン家の人々に死に水をとってもらうことになる)。

このシェノーという男は、もともとが武具製造という技術一筋の、欲のない男だったが、ただ居候しているだけでは申し訳ない、何か役に立ちたいと考える律儀な男でもあった。ギロチンの動きが完璧であるように技術者として気を配り、サンソンの助手たちにギロチンの管理がおろそかだと文句を言ったりした。

「ちゃんとした人たちがこれほどたくさん処刑台の上で死ぬときには」と老人は言うのだった。「あの人たちに苦痛を与えたりしてはいけません。殺しなされ。そうするようにみなが強いるのだから。でも、虐殺はいけません[7]」

ルイ十六世が処刑された日の夜、シェノーに命の恩人に報いる機会がやってきた。

普段は、処刑のあった日の夜にシャルル－アンリが外出することなどないのだが、この日は、シェノーと少し話をしたあと、シャルル－アンリは家から出ていった。シャルル－アンリは妻のマリー－アンヌを抱擁しはしたが、妻には、夫が震えているのがわかった。その様子は、国王陛下を処刑した自分はもはや最愛の妻の抱擁を受けるに値しない、とでも思っているかのようだった。

パリ北東部、現在の十区の北の端、フォーブール・サン－マルタン街とラ・ファイエット街が交錯する辺りは、今よりもパリが二回りほど小さかったフランス革命当時はパリのはずれに位置し、「人里離れた」という言葉がぴったりするような場所で、家がぽつんぽつんと建っているだけだった。この界隈が、どんなにもの寂れたわびしい場所であったかは、当時この付近に「死人街」と名づけられた通りがあったことからも十分に察せられる。

シャルル－アンリ・サンソンがやってきたのは、この辺りの一軒のあばら屋だった。

薄暗い街灯があばら屋に弱い光を投げかけていた。その一軒家は、いかにも風雪に耐えてきたという感じの古ぼけた家で、瓦葺きの屋根は積もった雪の重みで何ヵ所かへこんでいたし、家の外壁には大きな亀裂もあり、少し強い風でも吹けば崩れてしまいそうだった。各階に三つずつの窓があり、最上階の屋根裏部屋の三つの窓からだけ弱々しい光がもれ、ほかの階は暗闇に沈んでいた。

この屋根裏部屋に、修道院を追われた二人の老年の修道女と年老いた一人の非宣誓派の司祭が身を隠していた。

あまりにも大きな苦悩に襲われ、自分一人の力ではどうにもできない絶望感と無力感にさいなまれたとき、人は神に救いを求めるほかはないだろうということは、不信心な人間にも想像がつく。まして、シャルル－アンリ・サンソンのようにもともとが信仰心の非常に厚い人間にとって、まずは神にすがろうとするのは当然のことであった。

サンソンは精神状態が完全に混乱し、何をどうしたらいいのか、どう考えたらいいのか、自分でもまったくわからなくなっていた。ともかくも、国王陛下のためにミサを、それだけを考えるのが精一杯だった。少しでもいい、なんとか良心の呵責から逃れたかった。

表向きは反革命派を血祭りに上げる、革命の要《かなめ》ともいうべき存在のシャルル－アンリ・サンソンだが、革命に忠誠を誓った宣誓派の僧侶たちのことは、信仰上はまったく信用していなかった。これは彼に限ったことではなく、革命の原則は受け入れても、敬虔な信者たちの中には「宣誓派の僧侶たちはキリストを否定した」と考える人は多かった。シャルル－アンリには、非宣誓派の「本物の僧侶」が必要だった。非宣誓派の僧侶は、捕まれば死刑になる可能性が高いのだから（そして、その刑を執行するのが「ムッシュー・ド・パリ」のサンソンなのだが）、用心に用心を重ねて身を隠し、普通は居所を見つけるのは至難の業だった。

サンソンはシェノーのおかげで、運よく、そして、もっとも必要とするときに、非宣誓派の僧侶に巡り会うチャンスを得たのであった。前々から、生活に困っている非宣誓派の司祭がいるとシェノーから相談を受けていたので、サンソンはこの僧侶が信頼できる立派な人物であることを知っていた。この司祭は、カルム監獄で「九月虐殺事件」に遭遇したが、からくも逃れることができたのだった。生命の危険を回避するために国外に逃れ出る非宣誓派も多いのだが、この僧侶は「九死に一生を得たのは神の御心《みこころ》。自分を必要とする人たちのためにフランスにとどまるのが使命」と言って、あえて死の危険の中に身を置いていた。

しかし、知らない人間が突然現われれば、彼らが驚き、怖がるだろうということは十分に予測された。サンソンはすぐに屋根裏部屋に行く決断がつかず、付近を一時間以上も徘徊《はいかい》した。国王の処刑終了後に降りはじめた雪が道に積もり、靴をきしらせた。風もあり、とても寒かった。人っ子一人なかった。

時刻が十時になろうとする頃、サンソンはあばら屋の表ドアを開け、屋根裏部屋に通じる木の階段をゆっくりあがっていった。階段には泥が凍ってこびりついていた。深い静寂の中、階段をのぼる足音が響いた。

シャルル－アンリは屋根裏部屋のドアをノックしたが、室内は静まり返り、いっこうに応対に出てくる気配がなかった。取っ手を回してみると鍵がかかっていなかったので、一呼吸おいてから、シャルル－アンリは自分でドアを開けて部屋の中に入った。

二人の老修道女

部屋の中には、六十歳ぐらいの二人の婦人がいた。立ったまま、身じろぎひとつせず、シャルル－アンリを見つめた。二人の婦人の顔には大きな不安の色が浮かんでいたが、その表情には、無垢《むく》な子供が知らない人間に見せる好奇心のようなものも含まれていた。

床に二枚の藁《わら》の筵《むしろ》が敷かれ、それがベッド代わりになっているにちがいなかった。部屋の中央にテーブルがあり、テーブルの上には、真鍮《しんちゅう》の燭台、何枚かの皿、三本のナイフ、そして円いパンがむき出しに置かれていた。椅子が三脚、箱が二つ、古くさいタンスが一つ、これが家具のすべてだった。暖炉の火は弱く、薪の蓄えもほんの数本。壁に染みついたシミは、屋根が雨漏りすることを物語っていた。

食事もろくにとっていないと見えて、二人の修道女は血色は非常に悪かったが、態度、雰囲気から、前貴族であることは明らかだった。着ている服も、今は擦り切れてみすぼらしくなっているとはいえ、布地は絹で清潔に保たれており、以前はすばらしいものだったにちがいないレースの部分は丁寧に繕われていた。今のようなご時世では、このような服で外出するのは身元がばれて危険だが、二人にはほかに着るものがなかった。

この二人の婦人は、シェル修道院（パリから二十キロほど東にある修道院）が革命政府の命令で閉鎖されたことによって行き場を失った、とサンソンはシェノーから聞いていた。数十年間も修道院で神一筋の生活を送り、突然、俗世間の中に投げ出された二人の老婦人は、温かい家庭から急に放り出された幼子も同然で、見知らぬ男の闖入《ちんにゅう》によって自分たちが危険に直面していることはわかっていたが、キリスト教徒としてのあきらめ以外に身を守る術を知らなかった。

サンソンと二人の修道女は、しばらくの間、黙って向かい合っていた。

二人の修道女を国外に脱出させる計画が進行中だったので、二人としては、「あるいはこの人は連絡係かもしれない」という気持ちもあった。その場合は、ヘブライ語の「オザナ（助け給え）」というラテン語で「フィアット・ヴォルンタス（汝の意志成就されんことを）」という呼びかけにと答えるのが合い言葉になっていた。

一方、サンソンは、どう話を切り出したらいいものか、困惑していた。二人の婦人が「見知らぬ男」に警戒心を持つのは当たり前であり、彼女たちの恐怖心を増大させるような結果になることは絶対的に回避しなければならなかった。サンソンはけっこう体格もよかったから、陰鬱な表情をした大男という、それだけでも二人の老女には怖かったかもしれない。サンソンは、もし二人が警戒心をゆるめない場合は、出直そうと思っていた。

サンソンは意を決して口を開いた。

「私はあなた方の敵ではありません……。あなた方にお願いがあってやってきたのです……。でも、もし、私があなた方をこまらせているのなら、あなた方に気詰まりな思いをさせているのなら、どうぞ、そうおっしゃってください。このまま帰ります。でも、あなた方のために私に何かできることがあれば、私はなんでもする気でいるということはわかってください……」

この言葉に誠意を感じたのだろうか、修道女の一人が、三つの椅子の一つを目で指し示した。

二人の婦人が椅子に腰を下ろすのを待って、サンソンは椅子に座った。

「あなた方は、カルム監獄の虐殺から奇跡的に助かった、非宣誓派の司祭様を匿っておいでですね……」

「オザナ！」と、椅子をすすめた修道女がサンソンの言葉をさえぎるようにして言った。

「司祭様は、そのようなお名前ではなかったと思いますが……」

このサンソンの答えを聞いて、もう一人の修道女が「ここには司祭様などおりません」と答えた。連絡係ではないことがはっきりした以上、「見知らぬ男」に司祭の存在を明かすことなどとうていできない。ことは命に関わる。もし、目の前にいる男が首斬り役人だと知ったら、二人の修道女はどんなにか驚いたことだろう。

シャルル－アンリは、自分にはいかなる悪意もないこと、司祭の名前だけでなく二人の名前も知っていること、もし自分に密告する気があるのならとっくにしているはずだということを、できる限り丁寧な口調で説明した。

男の様子に敵意はまったく感じられないものの、二人の修道女は、どうしたらいいものか、態度を決めかねていた。

司祭はクローゼットのようなところに隠れて二人の修道女と「見知らぬ男」とのやりとりを聞いていたが、相手に悪意はないと判断し、みずから隠れ場から姿を現わし、部屋の中央に進み出てきた。

「あなたがわれわれを迫害する人だとは、とうてい思われません。私はあなたを信用します……。私に何をお望みですか？」

「神父様、ある方の魂の安息のために、死者のミサをあげていただくお願いをするためにやってまいりました……」

修道女たちには何のことかわからなかったが、司祭は「ある方」とは国王のことだということを直感的に理解し、身を震わせた。司祭はサンソンのことを、国王の死刑に賛成票を投じた国会議員だと思ったようだった。司祭は「見知らぬ男」をじっと見つめた。男が深い悔恨の情に責めさいなまれているのは明らかであり、ミサをあげてほしいという願いも並々のものではないことを司祭は感じ取った。

ついさっき、夜遅くにだれかが階段をあがってくる重い足音が聞こえてきたときには、ずいぶんと胸苦しい不安と恐怖を感じ、そそくさとクローゼットの中に逃げ込んだものだったのに、それはもうどこかに吹き飛んでしまい、司祭は男に興味と共感を覚えるようになっていた。

「よろしい！　今晩十二時にここにお戻りください。贖罪のためにわれわれがなし得る、唯一の死の儀式を行なう用意を整えておきましょう……」

真夜中のミサ

それから二時間ほどのち、「見知らぬ男」はあばら屋の屋根裏部屋にふたたびやってきた。男はさっきいた部屋の隣の部屋に案内された。そこに、儀式のためのすべての準備がなされていた。正式な祭壇などあろうはずもなく、隣室にあった古ぼけたタンスの上に布をかけて、祭壇代わりにしていた。

以下、亡き国王のために執り行なわれたミサの模様を、バルザックの短編小説『贖罪のミサ』から、そのまま引用する。バルザックはシャルル＝アンリの息子アンリに綿密な取材を行なった上でこの小説を書いている。(8)

暖炉の二本の煙突の間に、二人の修道女は虫に食われた古いタンスを運び移していた。そのタンスは非常に古い様式のものだったが、祭壇に仕立てあげるために上にかけた緑色のモアレ織りの布地で形が見えなくなっていた。黒檀と象牙でできた大きな十字架が黄色い壁に取りつけられていたが、そのために壁のむき出しさがよりいっそう際立ち、どうしても視線が壁に引きつけられてしまうのだった。二人の修道女は、すぐに冷えて固まる黄色い蠟をつかって、即興の祭壇の上にか細くて丈の低い四本のろうそくを固定させることに成功していた。その四本のろうそくが弱い光を放ち、壁が少しだけ光を反射させていた。光が弱いので、部屋の残りの部分はなんとかやっと見える程度だった。しかし、聖なるものしか照らしていないため、その光は、飾り気のない祭壇に天から注がれてでもいるかのようだった。タイル張りの床は湿っぽかった。屋根裏の物置のように両側とも急勾配の屋根には幾つか裂け目があり、そこから凍てつくような隙間風が入り込んできていた。この陰鬱な儀式以上にみすぼらしいものもなかったが、しかしながら、これ以上に荘厳さにあふれるものもなかったろう。近くを通るドイツ街道で発せられるどんなに小さい叫び声でも聞き分けられるほどの深い静寂が、この真夜中の儀式にある種の重々しい雰囲気を与えていた。そして、これから行なわれる行為の持つ意味は非常に大きなものであるのに周囲の事物があまりにも貧弱という、そのコントラストから、人に畏怖感を覚えさせるような宗教的雰囲気が醸し出されていた。

二人の世捨人の老婦人はそれぞれ祭壇の両側、床の八角形のタイルの上に跪いた。床のタイルは身体《からだ》に障るほどにひどく湿っていたが、それにかまうことなく、二人の修道女は司祭と一緒に祈りの言葉を唱えていた。司教服を身にまとった司祭は、宝石で飾られた金の聖杯を安置していたが、これはシェル修道院の略奪を免れた祭器なのだろう。王にもふさわしい豪華さを持つ記念物と言っていい、この聖餐杯の傍らには、ミサ聖祭のための水と葡萄酒が、場末の居酒屋でも見られないような粗末な二つのコップに入れられていた。ミサ典書がなかったので、司祭は祭壇の片隅に聖務日課書を置いていた。ありふれた一枚の皿が、無垢で血に汚れていない手を洗うために用意されていた。すべてが壮大だったが、卑小だった。貧弱だったが、高貴だった。俗世間的でありながらも、神聖だった。

「見知らぬ男」は敬虔な態度で二人の修道女の間に跪いた。しかし、聖杯と十字架に黒い布がかぶせられていることに——というのも、この死のミサがだれのためのものかを告げるものがまったくなかったので、神自身を喪に服させたからなのだが——そのときになって気づき、あまりにも生々しい思い出に襲われたため、男の広い額に汗のしずくが浮かんだ。

この場面を演ずる四人の静かな役者は、神秘的な気持ちにとらわれてお互いに見つめ合った。そして、四人の魂は、この上もなく強く互いに作用し合ったので感情が通じ合い、宗教的憐憫の情の中に溶け合った。

四人は、その遺骸が生石灰にむしばまれている殉教者を思い浮かべ、殉教者の影が尊厳さにあふれて彼らの前に現われたかのようだった。彼らは、亡き人の遺骸もなしに死者のミサを行なっていた。隙間だらけの屋根瓦と木ずりの下で、四人のキリスト教徒はフランス国王のために神に取りなしを頼み、棺のない葬送を行なおうとしていた。あらゆる献身的行為の中でももっとも純粋なもの、なんの下心もなしに遂行された、忠誠の驚くべき行為であった。神の目には、これは、最高の徳をも試練にかける、コップ一杯の水のようなものだった。一人の司祭と哀れな二人の修道女の祈りの中に、王政のすべてがあった。そして、おそらくは革命もまたこの「見知らぬ男」によって代表されていたのであろうが、その表情にはあまりにもはっきりとした悔恨の情が浮かんでいたので、男が心の底から悔い改めようとしていることを信じないわけにはいかなかった。

普通は、ミサの決まり文句をラテン語で「さらばわれ神の祭壇に行き、またわが喜び、喜ぶ神に行かん」と唱える習わしだが、神的な霊感を受けた司祭は、それはせず、キリスト教のフランスを象徴する三人の出席者を眺め渡して言った。

「われわれは、これより神の聖域に入ります！……」

心にしみいるような語調で投げかけられたこの言葉に、男と二人の修道女は聖なる恐れの気持ちに捉えられた。ローマのサン＝ピエトロ寺院のドームの下といえども、このキリスト教徒たちの目に、この貧困の隠れ家における以上に神が尊厳さにあふれて姿を現わしたことはなかったろう。それほどに、人間と神との間にはいかなる仲介者も不要であり、神はその偉大さを自分自身からのみ引き出すものなのである。

「見知らぬ男」の熱意は真実のものであった。それゆえに、神と国王の奉仕者たる、この四人の祈りを一体化する感情も共有されていた。静寂の中、聖なる言葉は天上の音楽のように響いていた。「見知らぬ男」が涙に捉えられた瞬間があった。それは「我らが父よ《パーテル・ノステル》」のところだった。

司祭はさらにそこに次のようなラテン語の祈りの言葉をつけ加えたが、男にもその意味はわかったことだろう。

「また、弑逆者《しいぎやくしや》たちを、ルイ十六世自身が許したように、許し給え」

二人の修道女は、「見知らぬ男」の雄々しい頬を伝って大粒の涙が湿った道を描き、床にしたたり落ちるのを見た。


「私ほど無垢なものはおりません……」

ミサが終わったあと、司祭は二人の修道女に合図して隣の部屋に行ってもらい、「見知らぬ男」と二人きりになった。

「我が息子よ、もしあなたが殉教の国王の血に手を染めたのなら、私に正直に言ってほしい……。神の目には、あなたが抱いているほど感動的で誠実な改悛の情によって帳消しにならない過ちなどというものはないのです」

「殉教の国王の血に手を染めたのなら……」という言葉を耳にしたとき、サンソンは、一瞬、ぎくりとし、われ知らずに体を痙攣《けいれん》させてしまった。自分の正体がばれてしまったのか、と思った。しかし、司祭は、死刑評決をした国会議員たちのことを思い浮かべたにすぎなかった。司祭は「見知らぬ男」が自分の言葉に異様な動揺を見せたことに驚いていたが、サンソンは気を取り直し、落ち着いた目で司祭を見つめながら言った。

「神父様、流された血に対して、私ほど無垢なものはおりません……」

なんとか、こう答えはしたものの、声は完全に裏返っていた。

たしかに、国王の死を決定したのはサンソンではなかった。ただ、道具にされただけだった。――あのときは、自分自身がだれであるのかもよくわからない、感覚が完全に麻痺した状態だった。見えてはいたが、見ていなかった。聞こえてはいたが、聞いていなかった。ゼンマイ仕掛けで動く、自動人形のようだった気がする。

それでも、国王の処刑執行は自分の責任においてなされた。たとえ意に反してであろうとも、国王の処刑に関わってしまった自分は、やはり大きな罪を犯してしまったのではないだろうか……。

そこでサンソンは、司祭に質問した。

「間接的な関与も罰を受けるとお考えですか……。つまり……その……たとえば……処刑台の周りを固めるように命令された兵士にも罪はあるのでしょうか？」

司祭が迷っているのを見て、サンソンは少しほっとした。軍人は受動的に命令に従わなければならないというのも王政の教理であり、また、国王という人格に敬意をささげなければならないというのも王政の教理だった。司祭が二つの教理の間で迷ったことによって、サンソンは幾分か心に安らぎを感じることができた。

司祭はなお考えつづけていたが、司祭が別の答えを出して、せっかく得られた心の小康状態が失われるのが、サンソンには恐ろしかった。

「国王の魂の安息と私の良心の平安のためにあなたが執り行なってくださった死の儀式に対して、何らかの代価を支払うようなことをすれば、私はそれを恥じることになるでしょう。かけがえのないことに対しては、かけがえのないもので応えるほかはありません。どうか、これをお受け取りくださいますように……」

そう言って、サンソンは一つの小さな箱を司祭に差し出した。その箱の中には、国王が処刑台の上まで持ってきたハンカチが入っていた。精妙なバチスト織りのそのハンカチには、汗の跡が染みついていた。寒い冬の日であったにもかかわらず額に浮かんでくる汗を、ルイ十六世はこのハンカチで拭ったのであった。サンソンが帰ったあとで、司祭と二人の修道女が箱の中身を確かめてみると、ハンカチには血しぶきらしいものも付着していた。三人にとってサンソンは最後まで「見知らぬ男」でありつづけるので、三人にはこのハンカチが何を意味するのかわからなかった。

帰り際に「見知らぬ男」は、この家の家主は地区では革命的愛国心で有名だが、かつてコンチ公に仕えて一財産築き、ブルボン家に恩義を感じている男だから、この家はほかのどんな場所よりも安全だと考えていい、この家にとどまっておいでなさい、と忠告した。

そして、もしあなた方が引きつづきここを隠れ家としておいでなら、来年の一月二十一日にまたまいります、と言って、男は部屋から出ていった。

シャルル－アンリが家に帰ってきたときには、夜中の一時はとうに過ぎていた。最初は夫がどこに行ったのか心配したマリー－アンヌだが、シェノーから行き先を知らされてひとまずは安心したものの、夫が帰ってくるまではとても寝つけるものではなかった。

朝、夫を送り出して以来、一時も心が安まることのない一日だった。国王救出計画が盛んに噂されていたので、夫の身に何か起こる可能性が高かった。家の近くで物音がするたびに、血まみれの夫の死体が送り届けられてきたのではないか、と思ったものだった。そうして夫の身を案ずることとさえも、マリー－アンヌには後ろめたかった。国王が無事救出されたかどうかをこそ、まず心配すべきだ、と義務の声が語るのだった。

帰宅した夫は相変わらず陰鬱な様子はしていたものの、ずっと落ち着いていた。マリー－アンヌはあえて夫になにもたずねなかった。そのうちに、きっと、夫のほうから話してくれるにちがいなかった。

司祭と修道女たちの隠れ家に、これから間もなく、食料、衣類、薪などが定期的に届けられるようになった。シャルル－アンリは、これらの品物がどこから届けられるかわからないように、細心の注意をはらった。もちろん、司祭と二人の修道女には、自分たちを援助してくれているのは「見知らぬ男」だということはわかっていた。しかし、「見知らぬ男」の素性が彼ら

サンソンが自分自身をギロチンにかける風刺画

に知られるようなことは絶対にあってはならなかった。首斬り役人から援助を受けるよりは、むしろ飢え死にするほうを選ぶかもしれなかったから。家主が二通の公民証明書（通行証になる）を渡してくれたし、司祭の身の安全を確保するための貴重な情報がどこからともなく提供された。司祭と二人の修道女の朝晩の祈りに、「見知らぬ男」のための特別の祈りがつけ加えられ、三人にとって、「見知らぬ男」の話は無聊《ぶりょう》を慰める格好の話題にもなった。

ところで、非宣誓派の僧侶と接触することは、それだけでも相当に重い反革命的犯罪である。ましてや、亡き国王のためにミサをあげてもらったとなれば、絶対に死刑は免れない。もし、ことが明るみに出てサンソンに死刑の判決が下された場合は、いったいだれがサンソンを処刑するのだろうか？　もう少しのち、恐怖政治が本格化して毎日何十人もの人間が処刑されるようになる頃、サンソンが自分自身をギロチンにかける風刺画が世に出回る。この風刺画に描かれるように、サンソンは自分で自分の首を刎ねるのだろうか？　もちろん、そんなことにはならない。別の人間が新たに「ムッシュー・ド・パリ」に任命されて、その者がサンソンを処刑することになっただろうが、「その者」とは、おそらくは彼自身の息子か、兄弟か、親戚筋の者なのである。

こうした危険があったにもかかわらず、サンソンは翌年の国王の命日にも司祭と二人の修道女が身をひそめるあばら屋にやってきて、ミサをあげてもらった。さらにその翌年も、次の年もサンソンはやってきた。革命が終わってナポレオン第一執政によってカトリック信仰が復活されるまで、十年近くもの間、町はずれのあばら屋でのミサが繰り返されたのであった。(9)

終章　その日は来たらず

マドレーヌ寺院建設工事現場

一八〇六年のある日、シャルルーアンリ・サンソンは、マドレーヌ寺院建設工事現場の片隅で本を読んでいた。「ムッシュー・ド・パリ」の職は十一年前に息子に譲り、今は隠居の身だった。七年前に革命も終わり、皇帝ナポレオン一世の世になっていた。

ルイ十六世が処刑された革命広場はコンコルド広場と呼び名が変わっていたが、マドレーヌ寺院建設工事現場と広場とは、ロワイヤル街という長さ三百メートル弱の一直線の道路で結ばれていて、工事現場から南側に広場を望むことができた。ルイ十六世が埋葬されたマドレーヌ墓地は、方向は逆になるが工事現場から広場までとほぼ同じ距離のところにあった。

マドレーヌ寺院が建てられることになったこの場所には、革命前の時代から教会、図書館、裁判所、証券取引所、国立銀行など、いろいろな施設を作る計画がなされ、途中まで建物が建てられては取り壊されるということが何度か繰り返されてきた。ナポレオンは、この地に建てられる建物は軍隊の栄光を称えるための寺院であるべきことを決定し、この一八〇六年から工事が開始されていた。辺りには建築資材用の大きな石が雑然と積み上げられ、作業員たちがせわしなく動き回り、テントで囲まれた一画では石工たちが石を切っていた。

シャルル－アンリは、この工事に関わっている荷車引きに数頭の持ち馬を貸していた。その男の馬の扱い方が乱暴だと聞いて様子を見にやってきたのであったが、本に目を通しては、時々、革命時代のことに思いをはせたりしているうちに、本来の用件のことはすっかり忘れてしまっていた。

シャルル－アンリが読んでいた本は『ローマの夜』という古い詩集。本から目を上げれば、工事現場からコンコルド広場に通じるロワイヤル街が、すぐに目に飛び込んでくる。十三年前の、あの一七九三年一月二十一日の日、ルイ十六世を乗せた深緑色の馬車は、このロワイヤル街を通ってコンコルド広場に入っていったのであった。

国王の処刑から約二ヵ月後に革命裁判所が設置され、やがて本格的な恐怖政治の時代が到来した。何らかの事件、政治危機、政争、主導権争いのすべての結果が、死刑囚という形でシャルル－アンリの手にゆだねられてきた。王妃、王女、名門の大貴族、名を知られた将軍、天才的科学者、高名な政治家、輝かしい革命指導者であった人々、あるいはまた、その他大勢の名もなき人々……。結局、一七九四年七月のテルミドールのクーデターで恐怖政治に終止符が打たれるまでに、シャルル－アンリは二千七百数十人の首を落とすことになった。

シャルル－アンリが手にかけた人々の中には、顔見知りの人も少なくなかった。たとえば、ルイ十五世の最後の公式寵姫であったデュ・バリー夫人――

若き日のシャルル－アンリが伊達男として鳴らしていた頃、つき合った女性の一人がデュ・バリー夫人だった。もっとも、その頃は、デュ・バリー夫人はジャンヌ・ベキュという名前の、下町のお針子にすぎなかった。その後、高級娼婦の時期をへてデュ・バリー伯爵という田舎貴族と形式上の結婚をし、伯爵夫人としてヴェルサイユ宮殿に上がり、宮廷のトップスターになった。あの「首飾り事件」の原因になった首飾りも、もとはと言えば、デュ・バリー夫人のために発注されたものだった。

ルイ十五世の死後、デュ・バリー夫人は田舎の城館に引きこもって暮らしていた。そのままひっそりと暮らしていれば、二十年も昔の国王の愛人のことなど、だれも思い出しもしなかったろう。ところが、宝石が盗まれたとみずから騒ぎを引き起こしてしまった。これで人々は、かつてヴェルサイユの宮廷で威勢をふるった寵姫がなお存命だということに気がついた。デュ・バリー夫人は何度かロンドンに出かけていた。このため、イギリスに亡命している王党派貴族と連絡を取り合っているという嫌疑をかけられ、革命裁判所で死刑の判決を下されたのであった。

デュ・バリー夫人が処刑台にあがったのは、一七九三年の十二月だった。処刑台の上で、夫人は取り乱し、泣きわめいた。「もうちょっと、待ってください！」「もう少しだけ、待ってください。お願いです！」と泣き叫びながら、とても女性とは思えないような力で助手たちに抵抗した。

サンソンのほうこそ、泣きたい気分だった。激しく身をよじるデュ・バリー夫人の姿に若かった頃の思い出が頭をよぎった。自分など及びもつかない高い地位にまで上りつめたかつての恋人にこんな形で再会しようなどとは、まったく思いもよらないことだった。昔はほっそりとして、はち切れんばかりの若々しい美貌に輝き、いたずらっぽい目がなんとも言えない魅力を放っていたものだったのに、でっぷりと肥った白髪の老女になっていた。

恐怖政治期に処刑台の上で見苦しく取り乱したのは、このデュ・バリー夫人ぐらいなものだった。きわめて不当な死刑判決が多かったというのに、なぜか、ほとんどの人は従容《しょうよう》として死んでいったのである。革命がはじまってから、あまりにも多くのことがありすぎた。処刑台にあがってきた人々は、革命の四、五年の間に四十年も五十年も生きたような気がしたのではないだろうか。とくに、革命家として名をはせた人々は、自分は人生を燃焼しつくした、もはやこの世にはなんの未練もない、といったふうだった。

死刑判決を乱発する革命裁判所の人々も、死刑判決を平然と受け止める囚人たちも、みな「死への狂躁」とでも呼ぶべき病に冒されているようにシャルル－アンリには思われた。むしろ、みんながデュ・バリー夫人のように泣き叫び、身をもがき、命乞いをすればよかったのだ。そうすれば、人々も事の重大さに気づき、恐怖政治ももっと早く終わっていたのではないだろうか――「ギロチンも、それほど長続きはしなかったことであろうに」とシャルル－アンリは『日誌』に記している。

本格的な恐怖政治の時代に入った最初の頃は、シャルル－アンリは困惑もし、あきれもしたが、毎日毎日何人もの首を斬っているうちに、だんだん感覚が麻痺し、自分でも何が何やらよくわからなくなってしまった。しかし、こんな馬鹿なことは早く終わりにしなければいけないとはずうっと思いつづけていた。

一時期は、恐怖政治推進の張本人とされるロベスピエールに期待をかけたこともあった。ロベスピエールが国会で「至高存在」について演説した一七九四年五月頃のことだ。「至高存在」とは神のことであるにちがいなかった。神に言及したからには、これを機会に正義に戻ると約束してくれるのではないか、とシャルル－アンリは期待した。というのも、革命初期、これからは正義の世の中になるという楽観的な雰囲気でいっぱいだった頃、だれよりも熱心に死刑制度の廃止を主張したのがロベスピエールだったからだ。今や革命の最高権力を手にしている彼だ、彼ならこんな馬鹿げたことを止めさせる力があるはずだった。

ところが、逆だった。「至高存在」についての演説のあとは、かえって死刑判決がふえたのである。シャルル－アンリは検事総長のフーキエ－タンヴィルから助手を増員するように言われ、最初は四人だった助手は十六人にまでふえることになった。被告の中には、紙幣偽造、外国軍との通謀、サボタージュ、汚職、権限濫用など、何らかの罪を犯した者もたしかにいた。しかし、「国王万歳！」と叫んだといった些細なこと、政治的意見の違いが反革命的犯罪とされ、死刑が宣告された。さらには、まったくなんの理由もないのに、どさくさまぎれに死刑判決が出されたりもした。

一日に何十人もの人間が断頭台の露と消えるのが普通になっていた六月半ばのこと、一人のいたいけない少女が処刑台に連れられてきたことがあった。十八歳ということだったが、華奢《きゃしゃ》で、どう見ても十三、四にしか見えなかった。この少女はある女優の小間使いをしていて、女主人が逮捕されたために一緒に牢獄に行ったのであった。おそらくは、この少女には、逮捕された女主人以外に頼るあてがなかったのだろう。革命裁判所の法廷にも女主人と一緒に出て、一緒に法廷にいたというただそれだけのことで、他の数十人の被告とともに死刑の判決を受けたのだった。

この少女は健気《けなげ》にも、自分からすすんでギロチンの横板の上に身を横たえ、「これでいいですか、死刑執行人さん？」と聞くのだった。

このときは、我慢強さではだれにも負けないサンソンも切れた。

処刑台の周りに群がっている群衆に叫んでやりたかった――「お前たちは、この少女を見殺しにする気か！　お前たちの中に、この少女を助けたいと思う奴は、一人もいないのか！　だれでもいいからギロチン台に上がってこい！　そして、この少女をどこかへ連れていけ！　俺は少しも邪魔はしないぞ！」と。

あまりの処刑の多さに、さすがに人々もうんざりするようになっていたが、「かわいそうに……」「まだほんの子供なのに……」という同情の声が聞こえてくるだけで、行動を起こそうとする者はだれ一人として見当たらなかった。

こんな子供を処刑してどうする！　シャルル－アンリの内心の声は「こんな子供をみすみす犠牲にするよりは、むしろギロチンをぶっ壊せ」と叫んでいた（『日誌』）。なんとかせねばと、シャルル－アンリは少女のほうに一歩踏み出した。が、それ以上のことはできなかった。少女が処刑されるのをずるずると見過ごしてしまった。

自分は卑怯にも、良心の叫び声に抵抗してしまった――シャルル－アンリは、自分の意気地のなさが恥ずかしかった。自分が情けなかった。めまいがし、頭がくらくらした。

シャルル－アンリの周りで、ギロチンが、観衆が、処刑場を取り囲む建物がぐるぐる回りはじめた。

この日助っ人に来ていた弟のマルタンが兄の異状に気づき、「兄さん、あんたは病気だ。もう家に帰ったほうがいい」と言ってくれた。この日の死刑囚は五十四人、少女は九番目だった。まだ四十五人の処刑されるべき人間が残されていたが、シャルル－アンリは後も振り返らずに処刑場を離れた。家に帰る途中、女の乞食に施しを求められたとき、それが少女に見え、卒倒しそうになった。

家に帰ったシャルル－アンリは耳鳴りに苦しめられた。それは人間の呻き声に似ていた。夜、食卓に着いたとき、白いテーブルクロスの上に点々と赤い血痕が見えた。

「もう駄目だ。とてもやってけない」――手が震えだして止まらず、もう死刑囚の髪を切ることも、手を縛ることもできなくなっていた。

それでも仕事をつづけざるを得なかった。ご先祖様たちだって、みな我慢して職務をこなしてきたのだ。どうして自分の代で家業を中断することができようか。中断すれば、先祖を裏切ることになる。世の中には、生まれたときから、すでにあらかじめ引かれてある線に沿って生きるように定められた人間がいるものなのだ。これが死刑執行人の家に生まれた人間の宿命なのだ、とあきらめるしかなかった。

これから七月二十七日のテルミドールのクーデターまでの、およそ四十日間がシャルル－アンリにとって最悪の日々だった。二千七百数十人のうち、半数はこのたった四十日間の間に処刑されたのであった。シャルル－アンリは、自分の周囲で起こっていることに対する現実感覚を喪失し、自分が何をやっているという自覚もなく、ギロチン台の傍らにたたずんでいた。

テルミドールのクーデターで、シャルル－アンリはやっと悪夢の日々から解放された。

革命広場がコンコルド広場と名を改められるのはクーデターの翌年のことだが、「コンコルド」とは「和合」という意味であり、忌まわしい思い出を払拭したいという人々の思いが込められていた。

ギロチンは、もともとは人道的な配慮のもとに考案されたものだった。死刑囚に無益な苦しみを与えないために、迅速かつ確実に死に至らしめる機械が必要とされたのであった。しかし、ギロチンはあまりにも簡単に人を殺すことができる機械でもあった。もしギロチンが存在せず、昔ながらの斬首刑や車裂きの刑が維持されていたならば、一日に四十人も五十人も処刑できるものではない。せいぜいのところ、数人が限度だ。絞首刑だって、一時にそんなに大勢の人間を処刑できはしない。残虐の極みとされた八つ裂きの刑なら、一日に一人しか処刑できない。ところが、ギロチンを使えば、五十人の処刑を一時間以内ですませることも可能だった。つまり、もっとも残虐な処刑方法が採用されていれば一日一人ですんだところが、人道的な処刑方法があったために、一日に五十人以上、六十人以上もの人間が処刑されることになってしまったのであった。

なんという、パラドクスであろうか。

シャルル－アンリには、国王の処刑がギロチン暴走の大きな引き金になったように思われてならなかった。国王を処刑したことによって、越えてはならない一線を越え、歯止めがきかなくなってしまった。国王の処刑を思いとどまっていれば、ほかの多くの悲劇も防止できたのではないか、と思われるのだった。

二千数百人を処刑したあとでも、シャルル－アンリにとって国王の処刑は特別なものでありつづけた。毎晩のように国王処刑の夢を見てはうなされたものだった。ナポレオンによってカトリック信仰が復活されてからは、毎年国王の命日に家の近くのサン－ローラン教会でミサをあげてもらった。国王を処刑したギロチンの刃は家に持ち帰り、刃の前で国王の魂の安息のために祈り、これを欠かしたことは一日としてなかった。

テルミドールのクーデター後、恐怖政治を推進したジャコバン政府の指導者たちとその周辺にいた活動家百名以上が処刑されたし、革命裁判所の検事と判事たち、さらには十人前後の陪審員も処刑された。シャルル－アンリ・サンソンも恐怖政治の加担者の一人として処刑されてもおかしくはなかった。革命裁判所検事総長のフーキエ－タンヴィルは、実質的には革命裁判所長として君臨し、いつもサンソンが死刑執行命令書を受け取りにいっていた直属上司のような男だが、処刑される当日、サンソンに「お前もわれわれの同類なのだから、いずれはお前も処刑されることになる」という捨て台詞を残して死んでいった。

しかし、「サンソンを死刑にしろ」という声はまったく起こらなかった。サンソンがいつも死刑囚にできうる限りの人間的配慮をしていたことがよく知られていたからだろう。恐怖政治の犠牲者の身内の中には、サンソンに温かい心遣いをしてもらってありがたかった、と言う人たちもいた。

ナポレオンに会う

シャルル－アンリがマドレーヌ寺院建設工事現場の片隅で、なかば夢想にひたりつつ詩集を読んでいたとき、ざわざわと大勢の人間がやってくる気配がした。

ナポレオンが供の者たちを引き連れて、工事の進展状況を視察にやってきたのであった。

ナポレオンは上機嫌に工夫たちに声をかけて回っていた。

「どうだい、諸君、難儀してるかね？　どうやら、諸君の中には砲兵はおらんようだな」と砲兵出身のナポレオンは石を運んでいる工夫たちに一席ぶとうとしていた。「もっと力学を応用したまえ。地面に板を敷くんだ。そして、コロの数を減らすんだ。そうすれば、摩擦が少なくなって、もっとスムーズに石が運べるはずだ。それに、人員の配置の仕方もよくないな」

工夫たちの中にエジプト遠征に参加した元兵士がいて、ナポレオンはひとしきりエジプト遠征時代の思い出話をしていた。それから、石切場をのぞき、工事の進み具合が遅いと現場監督に不満をもらしていた。

シャルル－アンリはナポレオンの言葉にじっと耳を傾けていたが、風向きが変わってよく聞き取れなくなったので、もっとナポレオンの声がはっきり聞こえるようにと石切場の近くに移動した。と、そのとき、シャルル－アンリは突然後ろから何者かによって肩を叩かれた。振り向くと、髭《ひげ》をたくわえた大男がおり、シャルル－アンリの胸に剣を突きつけた。どうやら、ナポレオン警護の者に刺客ではないかと疑われたらしかった。こんな老人を、とシャルル－アンリは思ったが、相手は本気だった。たしかに、ナポレオン暗殺未遂事件が何度も起こっていたし、彼がいた場所がちょうど物陰にあたるようなところだった。

シャルル－アンリはナポレオンの前に連れていかれ、何か凶器を身につけていないか厳重な身体検査を受けた。読んでいた詩集も取り上げられ、暗号の紙切れでも挟まっていないか頁ごとに調べられた。

検査がすんだあと、ナポレオンに問われるままに、シャルル－アンリは自分の名前と職業を言った。

前年の暮れ、アウステルリッツの戦いでオーストリア皇帝とロシア皇帝を降《くだ》し、今やヨーロッパの覇者としての相貌をとりつつある一代の英雄ナポレオンも「サンソン」という名前を耳にして、気持ちが動揺したようだった。

「あなたはいつから仕事についていますか？」

「一七七八年からでございます」

「そうすると、あなたですね、一七九三年に……」

ナポレオンは全部を言いきらずに、身振りでマドレーヌ墓地の方向を指し示した。シャルル－アンリの脳裏に急に亡き国王の姿がよみがえり、目が曇った。シャルル－アンリはポケットからハンカチを取り出して、目を拭った。

「ああ、あなたなのですね。……もし、また国民公会のようなものができて、もし、彼らが不遜にも……？」

シャルル－アンリには、ナポレオンが何を聞きたいのかがわかった。「この私をも処刑するのか？」とたずねているのであった。

「陛下、私はルイ十六世を処刑いたしました」

サンソンは深々とお辞儀をしながら言った。

顔を上げたとき、サンソンはナポレオンの顔に恐怖の表情が浮かんでいるのを認めた。眼差しが固定し、唇がふるえていた。まるで、最後の瞬間の死刑囚のようだった。

ナポレオンの横にいたヌーシャテル公はサンソンから取り上げた本を手に持っていたが、突然、何か気持ちの悪いものにでもさわってしまったというふうに、本を投げ捨てて叫んだ。

「この男がわれわれ全員を処刑することだってあり得る！」

「行こう！」

茫然自失の状態から抜け出たナポレオンが言った。

サンソンは地面に投げ捨てられた本を拾い上げ、塵《ちり》をはらいつつ、去ってゆくナポレオンの後ろ姿を見送った。

――ナポレオン政権下になってからも、われわれサンソン家の人間は何人もの人間を処刑してきた。あなたは、その人たちに恩赦を与えることもできたはずだ（実際、サンソンは四年前に「すべての女性死刑囚に恩赦を」という嘆願書をナポレオンに提出したことがあった）。なのに、あなたはそれをしなかった。だから、われわれは命令に従ってその人たちを処刑した。それがわれわれの職務なのだから。あなたの命令に従ったにすぎないわれわれを恐れるのはおかしいではないか……。

政治情勢の変化によっては、われわれがあなたを処刑することもあり得る、そういう事情からいっても、死刑制度は廃止されなければならない、ということをシャルル－アンリはナポレオンに伝えたかった。「ルイ十六世を処刑した」という言葉に、ナポレオンは大分ショックを受けていた。その分だけ自分の思いが相手に通じたのではないか、という気がした。(1)

死刑制度は間違っている！

テルミドールのクーデターの翌年、息子のアンリに「ムッシュー・ド・パリ」の職を継がせたとき、自分がなめてきた苦労を息子にも味わわせるのかと思うと、父親としては非常に心苦しかった。

しかし、ほかにどうしよう？

恐怖政治の時代には、ギロチンは反革命派を血祭りにあげ、革命の基礎を固めるというので「聖なるギロチン」と呼ばれ、シャルル－アンリも革命の要として人々に大分ちやほやされたものだった。しかし、そんなものが長続きするわけがないということは、シャルル－アンリ自身がいちばんよくわかっていた。

息子はパリ砲兵隊の大尉になっていたが、いつ隊から追放されるか、わかったものではなかった。そのとき、息子の家族はどうやって生活してゆくのか？　サンソン一族の中には、死刑執行人の仕事を嫌って別の商売をはじめた者もあったが、身元がばれた瞬間、客はだれ一人として寄りつかず、店をたたまざるを得なかった。息子が別の仕事でなんとか暮らしを立てていくということも、あり得たかもしれない。しかし、その場合には、また別の問題が生じる。別の仕事についた子孫たちは、先祖を恥じるようになる。これはご先祖様に対する裏切り行為であり、自分の代でそんなことをするわけにはいかなかった。

息子に職を譲って間もなく、革命の栄光と悲惨をになった国民公会が解散し、その際、「全面的平和が宣言された日を期して、死刑制度を廃止する」と決定していたが、これは掛け声だけに終わった。死刑制度が存続する限り、自分たちサンソン家の人間は死刑執行人でありつづけなければならない運命にある。

今はまた、死刑執行人がひっそりと息をひそめて暮らさなければならない時代に逆戻りしている。孫のアンリ－クレマンはまだ七歳で、父親がどんな仕事をしているか知らない。アンリは、いつ子供に自分の仕事が知られるか、そのときにはどうしようか、とびくびくしている。

自分たち死刑執行人は、一般の人たちにとっては、平気で人を殺す者でしかない。人々は自分たちを蔑み、かつ、恐れる。無理もなかろう。自分だって、一人眠れぬ夜を過ごすとき、死者の影に取り囲まれているのを感じて、自分で自分が怖くなることもあるのだから。

言ってみれば、死刑執行人の職というのは、けっして許されることがないのだ。

しかし、この世の正義の最後の段階をになっているはずの自分たち死刑執行人が忌むべき存在として世間から除け者にされるのは、人を死に至らしめることによって社会秩序を保とうとする、その正義の体系そのものが忌むべきものだからではないのか？　もし、死刑制度が正義にかなう絶対的に善きものであるならば、自分たち死刑執行人は人々に感謝されこそすれ、忌み嫌われ、蔑まれるはずがない。

これは、感情の問題だ。どんなに声高く死刑制度の必要性を主張する人にも、死を忌避する気持ちはある。人間の自然の感情が「死は悪だ」と語るのである。死を忌避しようとする、この自然の感情が、自分たち死刑執行人に対する嫌悪感として表われるのだ。

かつては、これは偏見だとして、世間の悪意と闘ってきたシャルル－アンリだが、今では、自分たちに対する人々の嫌悪感を人間の自然の感情として認めようという気になっていた。自分たちが差別されるのは不条理ではあるが、人間の自然の感情ほど強いものはない、少なくとも、それは理屈や理論ほど過つことがない、と思われるのだった。

シャルル－アンリの孫、アンリ－クレマンは『サンソン家回想録』を書くことになるが、この回想録の中で死刑制度廃止を熱心に訴えている。父アンリの跡を継いだアンリ－クレマンは、回想録執筆時にはすでに死刑執行人ではなくなっていたし、この頃にはフランスの国民的作家ヴィクトル・ユゴーのように死刑廃止を訴える文化人も出ていたので（一八二九年に出たユゴーの小説『死刑囚最後の日』はかなりの社会的反響があった）、こういう主張を比較的しやすい環境があった。シャルル－アンリも死刑制度の廃止を願っていたけれども、死刑執行人が社会に対し正面切って死刑制度の廃止を訴えることは、まだできない時代だった。アンリ－クレマンにも祖父の苦しい胸の内がよくわかっていたわけで、自分の考えは先祖の気持ちを代弁するものでもあると言っている。

シャルル－アンリは思うのであった――死刑制度がなくなれば、死刑執行人もいらなくなる。そうなれば、自分たち一族の苦しみも終わり、普通の人間として生きていけるようになる。しかも、この場合はご先祖様のお咎《とが》めを受けることもない。むしろ、ご先祖様も喜んでくれるのではないだろうか。

死刑制度は間違っている、とシャルル－アンリは声を大にして叫びたかった。人の命は何よりも尊重されねばならない。人の命を奪うというのは大変なことだ。死刑制度には、人の命を奪うという、この重大事に見合うようなメリットが何もない。犯罪人を社会から除去したところで、ただ一時的な気休めになるだけで、犯罪を産み出した社会のゆがみが正されるわけではない。それに、人の命はもともと神から与えられたものであり、人の命について裁量できるのは、神だけなはずだ。

死刑制度は間違っている！――そのときには死刑に相当するとされる行為も、時代の変化によって微罪にすぎなくなることもある。さらには、死に値する犯罪的行為とされたことが、時代の変化によっては、称賛されるべき立派な行為に変わることもある。

死刑制度は間違っている！――裁判に誤審はつきものであり、無実の人を処刑してしまうと

モンマルトル墓地にあるサンソン家の墓。シャルル－アンリもここに眠っている。

いう事態を避けることができない。処刑されたあとで無実が証明された例も多い。この過ちをどうやって償うのか？

死刑制度は間違っている！――たとえ極悪人であろうとも、その人間から罪を悔い改め、みずから罪を償う機会を永遠に奪い取ってしまうがゆえに。生まれ変わるチャンスを人間から永久に奪い去る権利を持つ存在があるとすれば、それは神のみである。

死刑制度は間違っている！――処刑を実行する人間を必要とし、その人間に法と正義の名において殺人という罪を犯させるものだから。そして、処刑人一族という呪われた一族を産み出すものだから。

シャルル－アンリは、ナポレオンが死刑制度の廃止に向けて何らかのイニシアティヴを取ってくれるかもしれないと期待して、新聞を毎日念入りに読みつづけた。シャルル－アンリが目にすることを願っていた文字列は「フランスにおいて、死刑制度は最後的に廃止された」だった。しかし、それらしい兆候を告げる記事を目にすることすら、ついになかった。
シャルル－アンリ・サンソンは、この一八〇六年の七月四日に死亡した。
フランスで死刑制度が廃止されるのは、一九八一年のことである。
シャルル－アンリ・サンソンの願いは、百七十五年早すぎたのであった。

あとがき

私が初めてシャルル－アンリ・サンソンに興味を持ったのは、二十年ほど前のことである。マラー暗殺事件を起こしたシャルロット・コルデという女性のことを調べた際、処刑場に向かう馬車に一緒に乗ったサンソンが、途中、この殺人犯の女性に細かい心遣いを見せる情景が非常に印象深かった。

この本には人を殺す話がたくさん出てくるけれども、けっして猟奇趣味で書かれたものではない。代々死刑執行人を家業とする家に生まれ、フランス革命に遭遇したために、心ならずも、敬愛する国王にまで手にかけることになってしまった一人の人間のドラマを書くことが目的だった。

処刑されるのはもちろんだれだって嫌だが、やるほうも嫌なのである。サンソンは、自分の行為は犯罪人を罰する正義の行為なのだと何度も何度も自分に言い聞かせ、家業をつづけてきたのだが、国王ルイ十六世の処刑に直面して、自分の職業に対する正当性の確信が根底から揺らいでしまった。そして、恐怖政治がさらにサンソンに追い打ちをかける。

死刑執行人という職業は、つらく、悩み多いものである。死刑制度が存続する限りは、だれかが刑を執行しなければならないのだが、それを行なう人間を世間は忌み嫌い、差別する。一六三頁に掲げたサンソン家の紋章には二匹の犬が描かれていて、破《わ》れて音の出ない鐘を不思議そうに見ている。サンソン家の歴代当主たちは狩猟を趣味にしていたので、いつも犬を飼っていた。犬は人を差別しない。だから、世間から除け者にされていたサンソン家の人々は犬を友として暮らしていた――この紋章には、そうした意味も込められている。

まったく私一人にしか関係のないことを一言だけ述べるのをお許し願いたい。私はもともとバルザックが好きで仏文科にいった人間である。今回は、バルザックの著作を参考にし、バルザックの作品から引用したりもした。これが、私にはとても嬉しい。以上。

なお、本文中の引用文は、とくに断り書きのない場合はすべて著者の訳であることもここで申し添えておきたい。

この本は、集英社新書編集長の椛島良介氏の励ましがあって、なんとか書き上げることができたようなものである。この場を借りて氏に感謝の意を表しておきたいと思う。

二〇〇三年十一月

安達正勝

註

出典・典拠をあげるに際して、二四九ページの「サンソンの『回想録』について——主要参考文献」に登場する本については、日本語訳のタイトルのみを掲げる。バルザックが書いたサンソン『回想録』は「バルザックによるサンソン『回想録』」、アンリ－クレマン・サンソン執筆の『回想録』は「アンリ－クレマン・サンソン『サンソン家回想録』」と表記する。その他の本についてはフランス語の原題と日本語訳のタイトルを並記する。

序章

(1)モニク・ルバイィ編『死刑執行人シャルル－アンリ・サンソンが見たフランス革命』。

(2)初代サンソンは、一見、貴族ともとれるような名乗り方をしていたが、貴族ではない。ロンヴァルというところに土地を持っていたので貴族風に名乗っていただけである。フランス革命以前は、ある程度の土地を持っている第三身分の人たちの中には、こういう名乗り方を好む人がけっこう多かった。しかし、アブヴィルのサンソン一族の中にはルイ十三世（在位一六一〇―一六四三）の時代に国家顧問官に任命されたニコラ・サンソンという人物がおり、国王から厚い信頼を受け、ルイ十三世がアブヴィルを訪れた際にはニコラ・サンソンの家に滞在したということだから、サンソン家はもともとは、貴族ではないにしても、かなりの名門だったのだろう。なお、ニコラ・サンソンは、地図のサンソン図法にその名を残している。

(3)アンリ－クレマン・サンソン『サンソン家回想録』。この全六巻からなる回想録は、シャルル－アンリの孫、六代目当主によって執筆されたもの。詳しくは「サンソンの『回想録』について——主要参考文献献」を見ていただきたい。

(4)以下、シャロレー伯爵とジャン－バチストとのやりとりは、アンリ－クレマン・サンソン『サンソン家回想録』による。

(5)ベルナール・ルシェルボニエ『父から息子へと受け継がれた死刑執行人』。

(6)シャルル－アンリ・サンソンの教育に関しては、主として、バルザックによるサンソン『回想録』に依拠。

(7)アンリ－クレマン・サンソン『サンソン家回想録』に「X侯爵夫人」と書かれている。実名を明かすのは差し障りがあったのだろう。

第一章

(1)「首飾り事件」に関しては、アンリ－クレマン・サンソン『サンソン家回想録』の記述を、ジャック・ド・ボワテル『首飾り事件』(Jacques de BOISTEL《L'affaire du Collier》1986)、アラン・ドゥコー『ヴェルサイユ華やかなりし頃』(Alain DECAUX《Les grandes heures de Versailles》1970) で補完した。

(2)アンリ－クレマン・サンソン『サンソン家回想録』。

(3)「ヴェルサイユ死刑囚解放事件」についてはアンリ－クレマン・サンソン『サンソン家回想録』による。ほかの本にもこの事件の話が載っているが『サンソン家回想録』がいちばん詳しい。

(4)アンリ－クレマン・サンソン『サンソン家回想録』。

(5)ルイ十六世とサンソンの会話はアンリ－クレマン・サンソン『サンソン家回想録』による。

(6)アンリ−クレマン・サンソン『サンソン家回想録』。

第二章

(1)国会における演説や論議の模様は、半公的新聞「モニトゥール」《Gazette nationale ou le Moniteur universel》に収録されている。

(2)フランス人が日本人の切腹の現場に立ち会って居たたまれなくなった実例がある。一八六八年（慶應四年）三月、大坂の堺港でフランス海軍の兵士・水夫たちが土佐藩警備隊から攻撃を受け、十一人が死亡するという事件が発生した。いわゆる「堺事件」である。犠牲になったフランス人のほうにはなんの落ち度もなかったので、賠償金十五万ドルを支払った上、土佐藩士二十名が責任をとって切腹することになった。責任者の死罪はフランス側からの強硬な要求によるものであったのに、実際に切腹に立ち会ったフランス軍関係者ら約二十名はあまりの凄まじい光景に激しく動揺し、耐えきれずに席を立つ者もいた。十一名が切腹し終わった段階で（つまり、フランス人犠牲者と同数になった段階で）、ついにフランス側から切腹中止の要請がなされ、土佐藩士九人は死を免れた。本国フランスでは依然としてギロチンによる処刑が公開で行なわれていたのだが、ギロチンによる斬首と切腹との違いにフランス人は度肝を抜かれたようである。

なお、フランスでは処刑は一九三九年まで公開で行なわれたが、公開処刑の最後の頃は、町はずれの刑務所の門前で、あまり人の集まらない早朝に行なわれるようになっていた。しかも、以前は処刑台の上にさらにギロチン台をのせ、遠くからでもよく見えるようにして行なわれていたのであったが、最後の公開処刑の頃は、処刑台無しにギロチンを地面に直に据え、最前列にいる人にしか見えないような形で処刑が行なわれた。つまり、かつては町のど真ん中で真っ昼間にこれ見よがしに処刑が行なわれたものであったのに、処刑場所が町中から町はずれに、処刑時間が白昼から人の集まりにくい時間へと、だんだんこそこそと行なわれるようになっていったのである。こうした傾向はサンソン家六代目にして最後の死刑執行人、『サンソン家回想録』を書いたアンリ－クレマンの頃からはじまっており、アンリ－クレマンは「国家が死刑制度を恥じはじめた」と感じていた。アンリ－クレマンはフランスで現実に死刑制度が廃止される百二十年前の段階で、いずれは死刑制度は廃止されることになると見通していたが、こうした事情も彼がそう考えた理由の一つ。

(3)綱淵謙錠『斬《ざん》』文春文庫、一九七五年。

(4)アントニア・フレイザー『スコットランド女王メアリ』（松本たま訳）中央公論社、一九八八年。

(5)アンリ－クレマン・サンソン『サンソン家回想録』。

(6)ダニエル・アラス『ギロチンと恐怖の幻想』。

(7)ダニエル・アラス『ギロチンと恐怖の幻想』。

(8)アンリ－クレマン・サンソン『サンソン家回想録』。

(9)ギロチンについての検討会の模様はアンリ－クレマン・サンソン『サンソン家回想録』に拠る。内密にしておきたいというルイ十六世の意思を尊重してのことであろうが、この検討会についてルイ博士もギヨタンも証言を残していない。シャルル－アンリも生前に情報を外部に漏らした形跡はない。

(10)斜めの刃を提唱したのがルイ十六世であることは、アレクサンドル・デュマ『九三年のドラマ』《Le drame de quatre-vingt-treize》でも言及されている。デュマは『三銃士』や『モンテ・クリスト伯』で知られる小説家だが、『九三年のドラマ』は小説ではなく、フィクションをまじえない歴史的著作。『九三年のドラマ』のほうが『サンソン家回想録』よりも先に出版されている。シャルル＝アンリの息子アンリは作家や文化人と交流があったので、直接か間接かはわからないが、デュマはアンリからこの情報を得たものと思われる。

第三章

(1)ダニエル・アラス『ギロチンと恐怖の幻想』。
(2)アルベール・ソブール『フランス革命史』。
(3)ルノートル、カストロ『物語フランス革命史―ヴェルサイユの落日』(山本有幸編訳)白水社、一九八三年。
(4)ルノートル、カストロ『物語フランス革命史―ヴェルサイユの落日』(山本有幸編訳)白水社、一九八三年。
(5)「九月虐殺事件」に関しては、主としてジュール・ミシュレ『フランス革命史』とアルベール・ソブール『フランス革命史』に拠る。
(6)プレイヤッド版、ジュール・ミシュレ『フランス革命史』のG・ヴァルテールの註に拠る。ゲーテ『滞仏陣中記』がもともとの出典。
(7)国会における国王裁判の流れに関しては、主としてジュール・ミシュレ『フランス革命史』とアルベール・ソブール『フランス革命史』に依拠。

第四章

(1)ベルナール・ルシェルボニエ『父から息子へと受け継がれた死刑執行人』。
(2)シャルル－アンリの『日誌』はアンリ－クレマン・サンソン『サンソン家回想録』に収録されている。
(3)アレクサンドル・デュマ『九三年のドラマ』は、前にも述べたように、小説ではなく、事実を積み重ねた歴史的著作。
(4)アレクサンドル・デュマ『九三年のドラマ』。
(5)アレクサンドル・デュマ『九三年のドラマ』。
(6)ベルナール・ルシェルボニエ『父から息子へと受け継がれた死刑執行人』。
(7)アンリ－クレマン・サンソン『サンソン家回想録』。
(8)この小説『贖罪のミサ』《La messe expiatoire》はバルザックによるサンソン『回想録』の導入部として書かれた。アンリ－クレマン・サンソンは、バルザックが「サンソン」の名で『回想録』を出版したことに不満の気持ちもあったようだが、このバルザックの小説に関しては内容が事実であることを保証し、みずからの『サンソン家回想録』の中にこの小説をほぼ全編取り込み、ミサの場面については完全にバルザックに任せている。バルザックの語る内容が、祖母と父親から聞かされていた話に合致していたのであろう。
　ミサの前と後の場面は『贖罪のミサ』と『サンソン家回想録』に拠る。なお、『贖罪のミサ』は後に短縮して『恐怖政治時代の一挿話』《Un épisode sous la Terreur》という形に書き直された。
(9)シャルル－アンリ・サンソンが国王の処刑によって大きな苦悩を味わったことは、もちろん当時は公に口にできることではなかったが、噂としてはかなり知られていた。この噂がさらに発展し、十九世紀には、シャルル－アンリ・サンソンは苦悩のあまり国王処刑後間もなく死亡した、と広く信じられていた。

『ラルース百科事典』の十九世紀版『十九世紀ラルース』（全十七巻）《Grand dictionnaire universel du XIXᵉ siècle, par Pierre Larousse》は今日でももっとも権威ある百科事典の一つとされているが、この事典にはシャルル－アンリ・サンソンは「前国王の処刑の六ヵ月後に絶望のあまり死亡した」と書かれている。また、同じく十九世紀に刊行され、今も非常に信頼されている『ミショーの人名事典』（全四十五巻）《Biographie universel Michaud》にも、シャルル－アンリは「かくも嘆かわしい出来事に関与してしまったという、この上もなく苦い悔恨の念を抱きつつ」国王処刑の六ヵ月後に病気のため死亡した、と書かれている。しかし、実際には、シャルル－アンリは一八〇六年まで生きていた。

終章

(1) この「ナポレオンに会う」の項は、主としてバルザックによるサンソン『回想録』に拠る。

サンソンの『回想録』について──主要参考文献

この本を書くにあたっていちばんの拠り所にしたのは、サンソンの『回想録』である。サンソンの『回想録』といっても何種類かあるので、まず、この点から説明させていただきたい。

サンソン一族に関わるものとされる『回想録』は、これまでに三種類出版されている。

①SANSON《Mémoires pour servir à l'histoire de la Révolution française》2vol., 1829

サンソン『フランス革命史に貢献するための回想録』全二巻、一八二九年刊

この『回想録』は、実際には、バルザックとレリチエ・ド・ランの二人によって書かれた。

②SANSON《Mémoires de l'exécuteur des hautes œuvres pour servir à l'histoire de Paris pendant le règne de la Terreur》1830

サンソン『高度作業執行人の回想録、恐怖政治下のパリの歴史に貢献するために』一八三〇年刊（「高度作業」とは、「死刑」のこと）

この『回想録』は、実際には、ロンバール・ド・ラングルという人物がM・R・グレゴワールというペンネームで執筆したもの。この本は後に《Mémoires de Sanson, exécuteur des jugements criminels》（『刑事判決執行人サンソンの回想録』）というタイトルで再刊された。

③Henri-Clément SANSON《Mémoires des Sanson, sept générations d'exécuteurs》6vol., 1862－1863

アンリ－クレマン・サンソン『サンソン家回想録、七世代の死刑執行人』全六巻、一八六二－一八六三年刊

これはサンソン家六代目にして最後の死刑執行人によって執筆、刊行されたもの（ゴーストライターの

手を借りている)。副題に「七世代」とあるが、「序章」で述べたとおり、サンソン家の死刑執行人は六代つづいた。初代サンソンの義父も数えて「七世代」としたものと思われる。

この三種類の回想録のうち、②は再刊版を入手したが、内容的に資料的価値が非常に低いので、まったく参照しなかった。私が資料として積極的に活用したのは、バルザックが書いた①の『回想録』とアンリ-クレマン・サンソンによる③の『回想録』である。

バルザックと共著者は、シャルル-アンリ・サンソンの息子アンリ・サンソンにかなり詳しい取材をした上で『回想録』を書いた。バルザックはアンリ・サンソンとつき合いがあり、一緒に食事をしたこともある。私が参照したのはバルザックが執筆した部分のみで、一九一二年から四〇年にかけて刊行されたコナール版バルザック全集(全四十巻)《Œuvres complètes de Honoré de Balzac, Louis Conard, Librairie-Editeur》に拠った。この『回想録』には一部、創作もあるが、バルザックは非常に正直であって、創作部分はだいたいすぐにそれとわかる。参考にするにあたって、私は創作部分は極力排除した。

結局、私がいちばん依拠したのはアンリ-クレマン・サンソンによる『サンソン家回想録』である。これはサンソン家に伝わるさまざまな文書(公文書、歴代当主たちの手記・日誌等)と家内伝承にもとづいており、資料としてもっとも信頼できる。シャルル-アンリが書き残した『日誌』もかなりの分量になり、たっぷり一巻分はある。シャルル-アンリが死亡したとき、アンリ-クレマンはまだ七歳の子供だったが、シャルル-アンリの妻マリー-アンヌは長生きし、アンリ-クレマンが十八歳になるまで生きていた。アンリ-クレマンは、この祖母と父親アンリからシャルル-アンリについての詳しい話を何度となく聞かされていた。

フランス革命勃発二百周年の前年、一九八八年に出た《La Révolution française vue par son bourreau Charles-Henri Sanson》édité et préfacé par Monique LEBAILLY（モニク・ルバイィ編『死刑執行人シャルル－アンリ・サンソンが見たフランス革命』）は、アンリ－クレマン・サンソンによる『サンソン家回想録』からの抜粋に若干の解説・資料を加えたものだが、けっこう有用である。抜粋部分の文章の組み方は『サンソン家回想録』とかならずしも同一ではなく、『サンソン家回想録』では註となっている部分が本文として組み込まれたりもしている。

ひと昔前までは、アンリ－クレマン・サンソンが書いた『回想録』は、「しょせん、死刑執行人が書いたものなのだから」ということで、あまり信頼に値しないという雰囲気があった。二十世紀初頭に書かれた本の中には、そうした態度が露骨に現われている本もある（たとえば、Hector FLEISCHMANN《La Guillotine en 1793》1908、エクトール・フレッシュマン『一七九三年のギロチン』一九〇八年刊）。日本で翻訳が出ているバーバラ・レヴィの本（邦題『パリの断頭台』、法政大学出版局）は一九七三年に書かれたものだが、この本にさえも、アンリ－クレマン・サンソンの『回想録』は「眉唾物だ」という記述がある。バーバラ・レヴィの本ではアンリ－クレマンの『回想録』を読めばわかるはずのことが不明とされたりもしているが、いずれにしても、彼女の判断は安易に過ぎると言わざるを得ない。『死刑執行人シャルル－アンリ・サンソンが見たフランス革命』の出版は、アンリ－クレマン・サンソンによる『回想録』の歴史的価値が、いわば初めて公認されたという意味合いもあるように思われる。この本の翻訳が『ギロチンの祭典、死刑執行人から見たフランス革命』（ユニテ）という題で出ている。また、二〇〇三年春にフランスで『サンソン家回想録』のダイジェスト版（全一巻）が新たに刊行されている。

アンリ－クレマンは『回想録』の中で死刑制度廃止を熱心に訴えているが、これも百四十年前の刊行当時であれば「さんざん人を殺しておいて、何を夢みたいなことを」と失笑を誘ったとしても（アンリークレマンは百十一人処刑している）、フランスで死刑制度が廃止されて二十年以上たつ今日では「先見の明があった」ということになろう。実際、アンリークレマンは、いずれは文明の進歩にともなって死刑制度が廃止されることを見通していた。

私はこれまでフランス革命関係の本を何冊か書いてきたし、関連の本もずいぶんたくさん読ませていただいた。今回この本を書くにあたってもそれらの本が下支えになってくれたのだが、ここでは主要参考文献としてさらに五点をあげるにとどめたい。日本語訳を付記するが、これは読者の便宜を考えてのことで、翻訳が出そろっているわけではない。

Daniel ARASSE《La guillotine et l'imaginaire de la terreur》1987（ダニエル・アラス『ギロチンと恐怖の幻想』一九八七年刊。翻訳あり、福武書店）

Bruno CORTEQUISSE《La sainte guillotine》1988（ブリュノ・コルトキス『聖なるギロチン』一九八八年刊）

Bernard LECHERBONNIER《Bourreaux de père en fils, Les Sanson 1688-1847》1989（ベルナール・ルシェルボニエ『父から息子へと受け継がれた死刑執行人、サンソン一族、一六八八―一八四七年』一九八九年刊）

Jules MICHELET《Histoire de la Révolution française》ed., Pléiade, 2vol., 1952（ジュール・ミシュレ『フランス革命史』プレイヤッド版、全二巻、一九五二年刊。全訳が進行中で、私も訳者グループの一

員。抄訳はすでに出ている)
Albert SOBOUL《Histoire de la Révolution française》2vol., 1962(アルベール・ソブール『フランス革命史』全二巻、一九六二年刊)

図版出典　P. 11　国立図書館蔵
P. 198　カルナヴァレ美術館蔵　D. R
P. 238　Hector FLEISCHMANN《La Guillotine en 1793》
Librairie des Publications Modernes

写真提供　P. 69, P. 133, P. 181, P. 216／オリオンプレス
P. 99／PPS通信社

安達正勝（あだち　まさかつ）

一九四四年岩手県盛岡市生まれ。フランス文学者。東京大学文学部仏文科卒業、同大学院修士課程修了。フランス政府給費留学生として渡仏、パリ大学等に遊学する。著書に『ナポレオンを創った女たち』（集英社新書）、『フランス革命と四人の女』（新潮社）、『ジョゼフィーヌ』『二十世紀を変えた女たち』（以上白水社）、翻訳に『理想の図書館』（共訳、パピルス）など。

死《し》刑《けい》執《しっ》行《こう》人《にん》サンソン

集英社新書〇二二一D

二〇〇三年一二月二二日　第一刷発行
二〇一三年　三　月一八日　第一五刷発行

著者……安達正勝《あだちまさかつ》
発行者……樋口尚也
発行所……株式会社集英社

東京都千代田区一ツ橋二‐五‐一〇　郵便番号一〇一‐八〇五〇
電話　〇三‐三二三〇‐六三九一（編集部）
〇三‐三二三〇‐六〇八〇（読者係）
〇三‐三二三〇‐六三九三（販売部）書店専用

装幀……原　研哉
印刷所……大日本印刷株式会社　凸版印刷株式会社
製本所……加藤製本株式会社

定価はカバーに表示してあります。

ISBN 978-4-08-720221-2 C0222

Printed in Japan